Barbara Stucki · Illustrationen: Oliver Eger

chubi®
westermann®

MATHE LOGICALS

FÜR KLEINE MATHEFÜCHSE

Kopierrecht

Breitwiesenstrasse 9
CH-8207 Schaffhausen
service@schubi.com
www.schubi.com

8. Auflage 2025

ISBN 978-3-03976-642-0

Vorwort

Es freut mich sehr, dass Sie diese Mathe-Logicals erworben haben und ich hoffe, dass diese Ihren Unterricht bereichern.

Mathematik und Sprachanwendung können ab einem gewissen Punkt nicht mehr voneinander getrennt werden. Deshalb erstrebte ich, für die Mathe-Logicals einen möglichst bunten Mix von Schwierigkeitsgraden und Themen zu finden.
Die Grundidee, welche ich verfolgte, galt der Kombination von mathematischen und sprachlichen Inhalten, gewürzt mit einer Prise Rätselspaß.

Unsere Welt ist voll von Zahlen und wird zu einem großen Teil in Zahlen definiert. Es ist deshalb nicht verwunderlich, dass ich beim Recherchieren mit Vergnügen auf so manches Aha-Erlebnis stieß und dies gleich in die Aufgaben miteinbezog.

Das Internet sowie auch häusliche Literatur haben mir unersetzliche Dienste geleistet, die Vielfältigkeit der Themen schien fast unerschöpflich. Nun präsentiert sich dieser Band sowohl mit rein fiktiven Rätseln als auch mit vielen Fakten. An dieser Stelle sei kurz angemerkt, dass ich ab und zu auf unterschiedliche Angaben gestoßen bin und mich dann jeweils für jene Version entschied, welche am häufigsten aufgeführt war.

Ich wünsche Ihren Schülerinnen und Schülern viel Spaß und spannende Momente beim Knobeln, Rechnen und Entdecken!

Barbara Stucki

Inhalt

Inhalt

Allgemeine Hinweise

Vier Differenzierungsmöglichkeiten

Die Mathe-Logicals bieten pro Thema vier verschiedene Schwierigkeitsgrade. Jedes Thema ist als einfacheres und als anspruchsvolleres Rätsel enthalten. Die einfacheren Rätsel enthalten weniger Hinweise und weniger oder einfachere Rechenaufgaben.
Alle Aussagen sind der Reihe nach durchnummeriert. Dies erleichtert schwächeren Kindern die Übersicht, ohne dass deswegen die rechnerischen Anforderungen umgangen werden. Vor dem Kopieren können Sie die Nummern problemlos abdecken und so den Schwierigkeitsgrad den Fähigkeiten der Kinder anpassen.

Spielvorlagen

Da das erfolgreiche Lösen der Rätsel von den nacheinander erhaltenen Ergebnissen abhängt, ist es wichtig, dass die Kinder sorgfältig arbeiten. Für viele Kinder bedeutet die Umsetzung vom Text zur mathematischen Operation die größte Schwierigkeit. Das Inhaltsverzeichnis gibt einen Überblick über die enthaltenen mathematischen Ausdrücke und Rechenoperationen. Diese lassen sich mit den Spielvorlagen von Seite 5 und 6 abwechslungsreich üben und festigen. Die Lösungen von Vorlage A befinden sich auf Vorlage C, die Lösungen von Vorlage B auf D. Für alle Spielvorschläge werden die Vorlagen A und B (oder C und D) auf zwei verschiedenfarbige feste Blätter kopiert.
Memospiel: Die Vorlagen A und C (oder B und D) in Kärtchen zerschneiden, mischen und mit der Schrift nach unten auf dem Tisch verteilen. Das Kind, das an der Reihe ist, deckt zwei Kärtchen verschiedener Farben auf. Passen sie zusammen, darf es nochmals zwei Kärtchen umdrehen. Wer hat zum Schluss die meisten Karten?
Lotto (3-4 Kinder): Jedes Kind erhält die gleiche Grundplatte (A oder B). Die dazu passenden Kärtchen (Vorlage C bzw. D) werden ausgeschnitten, gemischt auf einen Stapel gelegt oder in einem Säckchen verstaut. Ein Kärtchen wird gezogen und auf den Tisch gelegt. Wer zuerst das passende Feld auf seiner Grundplatte zeigt, darf das Kärtchen darauflegen. Wer hat zuerst vier Felder (waagrecht, senkrecht oder diagonal) belegt?
Lotto (2 Kinder): Ein Kind spielt mit Grundplatte A, das andere mit B. Das erste Kind zieht ein Kärtchen. Findet es das passende Feld auf seiner Grundplatte, darf es das Kärtchen darauf legen. Wer hat zuerst vier Felder (waagrecht, senkrecht oder diagonal) belegt?
Puzzle: Spielvorlage A oder B (bzw. C oder D) in Kärtchen zerschneiden. Die unzerschnittene Spielvorlage dient als Grundplatte, auf welche die Kärtchen gelegt werden müssen.
Domino: Vorlage A und C (oder B und D) in Kärtchen zerschneiden. Auf Doppelkarten aus festem Papier oder Halbkarton bei der ersten Karte in der linken Hälfte das Wort „Start" notieren. Dann die ausgeschnittenen Kärtchen so aufkleben, dass jeweils ein Kärtchen eines zusammengehörigen Paares auf der rechten Seite einer Doppelkarte, das andere auf der linken Seite der nächsten Doppelkarte steht.
Schnapp die Karte! (3-4 Kinder): Vorlage A und C (oder B und D) in Kärtchen zerschneiden. Die Kärtchen einer Farbe auf dem Tisch verteilen, die anderen als Stapel mit der Schrift nach unten hinlegen. Der Spielleiter nimmt ein Kärtchen und liest es vor. Die übrigen Kinder versuchen so schnell wie möglich das passende Kärtchen zu schnappen. Wer hat zum Schluss die meisten Karten ergattert?

Weitere Tipps und Unterrichtsmöglichkeiten:

- Die Mathe-Logicals als Gruppenarbeit in verschiedenen Schwierigkeitsgraden lösen und nachfolgend kurz das Erfahrene präsentieren.
- In Büchern oder im Internet Bilder zum Thema des Mathe-Logicals suchen.
- Nach weiteren Fakten zu den Themen forschen.
- Den Umgang mit dem Taschenrechner trainieren und die Rechnungen damit lösen.
- Die Mathe-Logicals als Hausaufgabe oder zur individuellen Unterstützung einsetzen.
- Selbst solche Rätsel verfassen: Themen suchen, recherchieren, formulieren und die Logicals mit einer anderen Klasse austauschen.
- Die Kinder weitere Spiele zu den Spielvorlagen erfinden lassen.
- Kinder, die Mühe haben, mit Farbe arbeiten lassen: Im Text gleiche Einheiten mit der gleichen Farbe übermalen.
- Logical vergrößern und in die einzelnen Hinweise zerschneiden. Die Hinweise nacheinander einzeln anbieten.

Spielvorlagen

Vorlage A

addieren	viermal kleiner	drei weniger	das Fünffache
um sechs kleiner	2 Paar	um drei größer	achtmal so viel
acht mehr	dreimal mehr	subtrahieren	der fünfte Teil
eins weniger	ein Dutzend	zehn mehr	halb so viel

Vorlage B

der zehnte Teil	vier mehr	viermal so viel	ein Paar
dreimal kleiner	multiplizieren	ein halbes Dutzend	zwei weniger
um neun größer	das Sechsfache	fünf mehr	um vier kleiner
doppelt so viel	der achte Teil	siebenmal mehr	dividieren

Spielvorlagen

Vorlage C

+	: 4	– 3	· 5
– 6	4 Stück	+ 3	· 8
+ 8	· 3	–	: 5
– 1	12 Stück	+ 10	: 2

Vorlage D

: 10	+ 4	· 4	2 Stück
: 3	·	6 Stück	– 2
+ 9	· 6	+ 5	– 4
· 2	: 8	· 7	:

Ein Korb voller Ostereier

Karin malt einen Korb mit vielen Ostereiern darin.
Lies und male die Eier aus.
Du brauchst die Farben gelb, orange, rot, grün und blau.

3 • Nun nimmt sie Gelb und malt mit dieser Farbe drei Eier weniger aus als von den orangen Eiern.

2 • Orange Eier möchte sie zwei mehr als grüne.

1 • Zuerst malt Karin vier Ostereier grün aus.

4 • Karin malt zwei blaue Eier mehr aus als gelbe.

Wie viele Eier wird Karin rot ausmalen? ☐

Ein Korb voller Ostereier

Karin malt einen Korb mit vielen Ostereiern darin.
Lies und male die Eier aus.
Du brauchst die Farben gelb, orange, rot, grün und blau.

Gelb: 3
Orange: 6
Grün: 4
Blau: 5
Rot: 2

3 • Nun nimmt sie Gelb und malt mit dieser Farbe drei Eier weniger aus als von den orangen Eiern.
2 • Orange Eier möchte sie zwei mehr als grüne.
1 • Zuerst malt Karin vier Ostereier grün aus.
4 • Karin malt zwei blaue Eier mehr aus als gelbe.

Wie viele Eier wird Karin rot ausmalen? | **2** |

Der Osterhase braucht Hilfe

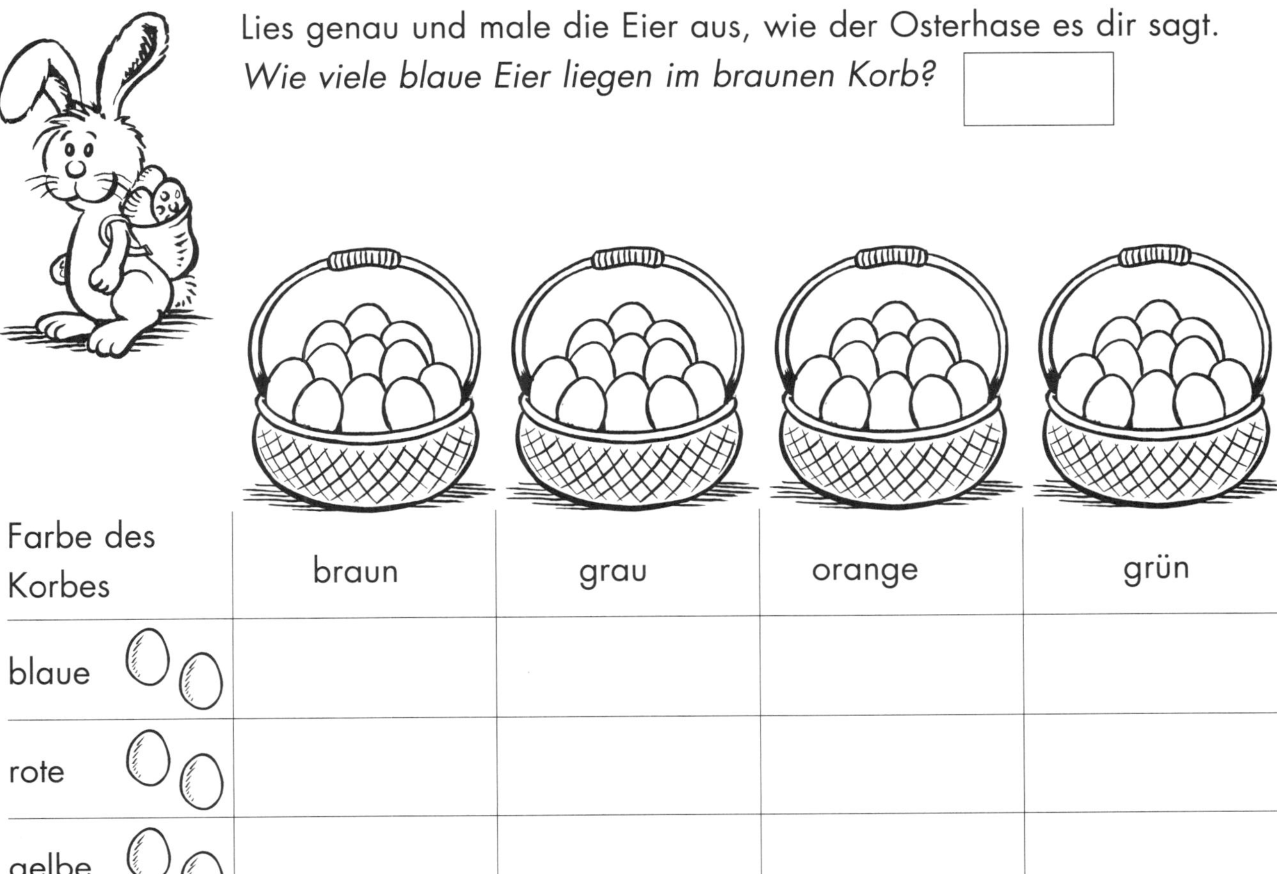

Lies genau und male die Eier aus, wie der Osterhase es dir sagt.
Wie viele blaue Eier liegen im braunen Korb? ☐

Farbe des Korbes	braun	grau	orange	grün
blaue				
rote				
gelbe				

3 • Im grauen Korb befinden sich zwei gelbe Eier weniger als rote im braunen Korb.
5 • Im grünen Korb liegen fünf rote Eier weniger als im orangen Korb.
8 • Wenn du die Anzahl der gelben Eier im orangen Korb zu den roten Eiern im grünen Korb dazuzählst, bekommst du die Anzahl der gelben Eier im grünen Korb.
1 • Male zuerst die vier Körbe aus.
6 • Im grünen Korb liegen halb so viele rote Eier wie blaue Eier im grauen Korb.
2 • Im braunen Korb darfst du so viele Eier rot ausmalen, dass noch 5 Eier übrig bleiben.
9 • Es sind gleich viele blaue Eier im grünen Korb wie gelbe Eier im braunen Korb.
4 • Es sind doppelt so viele rote Eier im orangen Korb wie gelbe Eier im grauen Korb.
7 • Im orangen Korb darfst du gleich viele blaue Eier ausmalen wie im grauen Korb rote Eier.

Der Osterhase braucht Hilfe

Lösungen

Lies genau und male die Eier aus, wie der Osterhase es dir sagt.

Wie viele blaue Eier liegen im braunen Korb? **2**

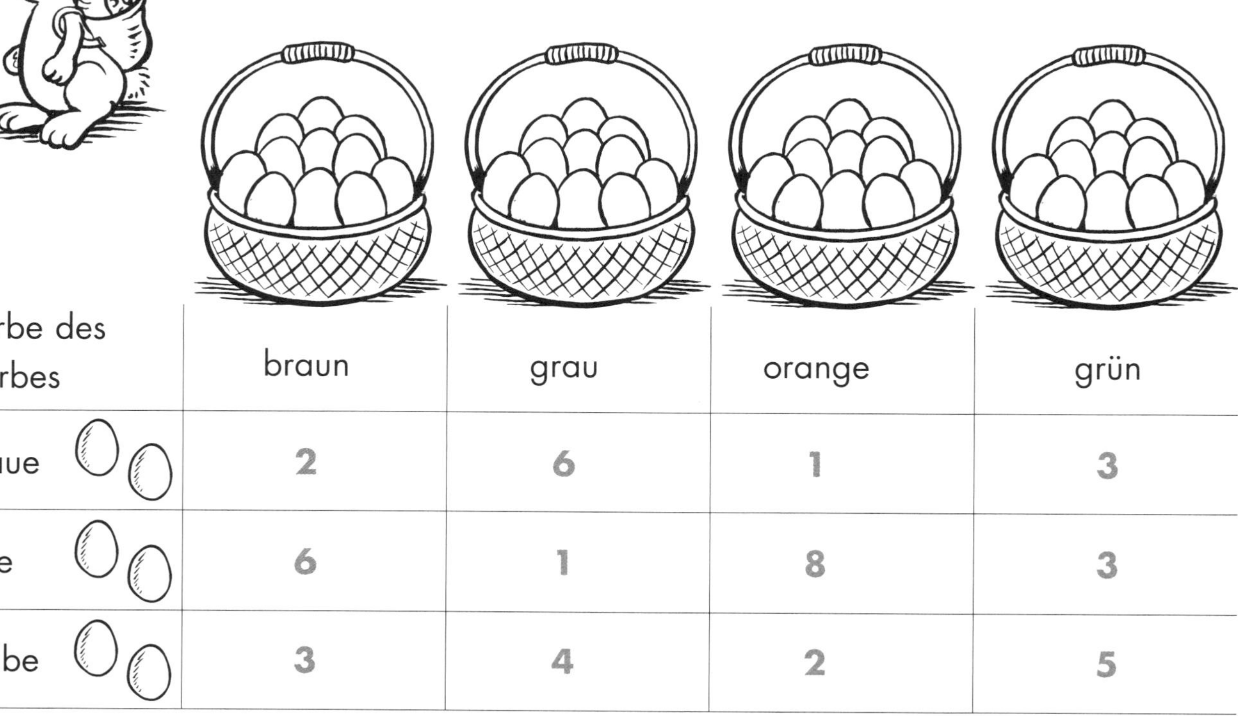

Farbe des Korbes	braun	grau	orange	grün
blaue	2	6	1	3
rote	6	1	8	3
gelbe	3	4	2	5

3 • Im grauen Korb befinden sich zwei gelbe Eier weniger als rote im braunen Korb.

5 • Im grünen Korb liegen fünf rote Eier weniger als im orangen Korb.

8 • Wenn du die Anzahl der gelben Eier im orangen Korb zu den roten Eiern im grünen Korb dazuzählst, bekommst du die Anzahl der gelben Eier im grünen Korb.

1 • Male zuerst die vier Körbe aus.

6 • Im grünen Korb liegen halb so viele rote Eier wie blaue Eier im grauen Korb.

2 • Im braunen Korb darfst du so viele Eier rot ausmalen, dass noch 5 Eier übrig bleiben.

9 • Es sind gleich viele blaue Eier im grünen Korb wie gelbe Eier im braunen Korb.

4 • Es sind doppelt so viele rote Eier im orangen Korb wie gelbe Eier im grauen Korb.

7 • Im orangen Korb darfst du gleich viele blaue Eier ausmalen wie im grauen Korb rote Eier.

Familienausflug

Fünf Familien mit insgesamt 15 Kindern machen einen Ausflug zu einer Grillstelle im Wald. Lies und male die richtige Anzahl Kinder zu den Eltern.

Meier

Dani

Liberto

Schmid

Roth

1 • In der Familie Dani hat in jeder Jahreszeit ein Kind Geburtstag.

3 • Familie Meier hat mehr Kinder als Familie Schmid, aber weniger als Familie Dani.

4 • Familie Liberto hat gleich viele Kinder wie die Familien Schmid und Meier zusammen.

2 • Familie Schmid hat halb so viele Kinder wie Familie Dani.

Wie viele Kinder hat Familie Roth? 

Familienausflug

Fünf Familien mit insgesamt 15 Kindern machen einen Ausflug zu einer Grillstelle im Wald. Lies und male die richtige Anzahl Kinder zu den Eltern.

1 • In der Familie Dani hat in jeder Jahreszeit ein Kind Geburtstag.

3 • Familie Meier hat mehr Kinder als Familie Schmid, aber weniger als Familie Dani.

4 • Familie Liberto hat gleich viele Kinder wie die Familien Schmid und Meier zusammen.

2 • Familie Schmid hat halb so viele Kinder wie Familie Dani.

Wie viele Kinder hat Familie Roth? **1**

Schulausflug

An einem Sommertag machen fünf Schulklassen einen Schulausflug. Sie treffen sich auf einer Waldwiese neben einer Burg.

	Klasse 2 Herr Weber	Klasse 3 Frau Azizou	Klasse 4 Herr Kasper	Klasse 5 Frau Hauser	Klasse 6 Herr Bischof
Jungen					
Mädchen					
Klasse					

5 • Bei den Sechstklässlern gibt es 3 Kinder mehr als bei den Fünftklässlern und es sind gleich viele Jungen wie Mädchen.

1 • Von Herrn Webers Klasse tummeln sich die 14 Mädchen am Rand der Wiese. In dieser Klasse gibt es 5 Jungen weniger als Mädchen.

4 • Bei den Fünftklässlern sind 3 Mädchen weniger dabei als bei den Viertklässlern. In dieser Klasse gibt es 5 Jungen mehr als Mädchen.

2 • Frau Azizou ist mit 5 Kindern weniger hier als Herr Weber. In ihrer Klasse sind 6 Mädchen weniger als in Klasse 2.

3 • In Klasse 4 sind es 5 Jungen mehr als bei den Drittklässlern. Die ganze Klasse zählt 25 Kinder.

Wie viele Jungen sind es im Ganzen? ☐

Wie viele Mädchen sind es im Ganzen? ☐

Schulausflug

Lösungen

An einem Sommertag machen fünf Schulklassen einen Schulausflug. Sie treffen sich auf einer Waldwiese neben einer Burg.

	Klasse 2 Herr Weber	Klasse 3 Frau Azizou	Klasse 4 Herr Kasper	Klasse 5 Frau Hauser	Klasse 6 Herr Bischof
Jungen	9	10	15	12	11
Mädchen	14	8	10	7	11
Klasse	23	18	25	19	22

5 • Bei den Sechstklässlern gibt es 3 Kinder mehr als bei den Fünftklässlern und es sind gleich viele Jungen wie Mädchen.

1 • Von Herrn Webers Klasse tummeln sich die 14 Mädchen am Rand der Wiese. In dieser Klasse gibt es 5 Jungen weniger als Mädchen.

4 • Bei den Fünftklässlern sind 3 Mädchen weniger dabei als bei den Viertklässlern. In dieser Klasse gibt es 5 Jungen mehr als Mädchen.

2 • Frau Azizou ist mit 5 Kindern weniger hier als Herr Weber. In ihrer Klasse sind 6 Mädchen weniger als in Klasse 2.

3 • In Klasse 4 sind es 5 Jungen mehr als bei den Drittklässlern. Die ganze Klasse zählt 25 Kinder.

Wie viele Jungen sind es im Ganzen? **57**

Wie viele Mädchen sind es im Ganzen? **50**

Freds Garderobe

Der Clown Fred trägt an jedem Wochentag eine andere Jacke.
Lies genau und zeichne die fehlenden Punkte auf seine Jacke.

Montag	Dienstag	Mittwoch	Donnerstag

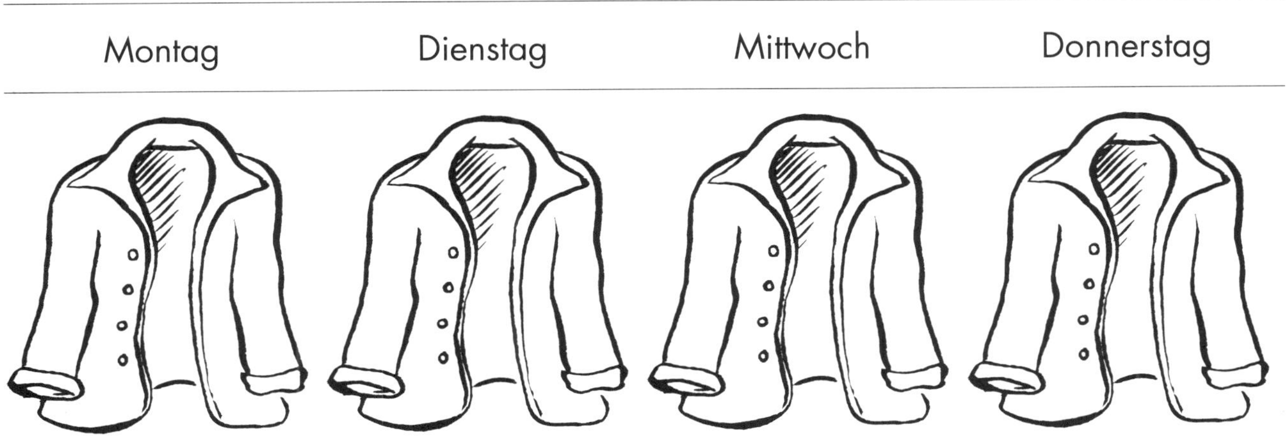

Freitag	Samstag	Sonntag

4 • Freds Sonntagsjacke hat 2 Punkte weniger als die Dienstagsjacke.
2 • Auf der Samstagsjacke sind 3 Punkte weniger als auf der Mittwochsjacke.
5 • Am Montag trägt Fred die Jacke, auf der halb so viele Punkte sind wie auf der Jacke vom Vortag.
6 • Die Freitagsjacke hat 6 Punkte mehr als die Jacke, die er am ersten Tag der Woche trägt.
1 • Am Mittwoch trägt Fred die Jacke, die gleich viele Punkte hat, wie die Woche Tage hat.
3 • Am zweiten Tag der Woche trägt Fred die Jacke, die 4 Punkte mehr hat, als die Jacke, die er am sechsten Tag trägt.

Wann trägt Fred die Jacke mit den 5 Punkten?

Am ____________________

Freds Garderobe

Lösungen

Der Clown Fred trägt an jedem Wochentag eine andere Jacke.
Lies genau und zeichne die fehlenden Punkte auf seine Jacke.

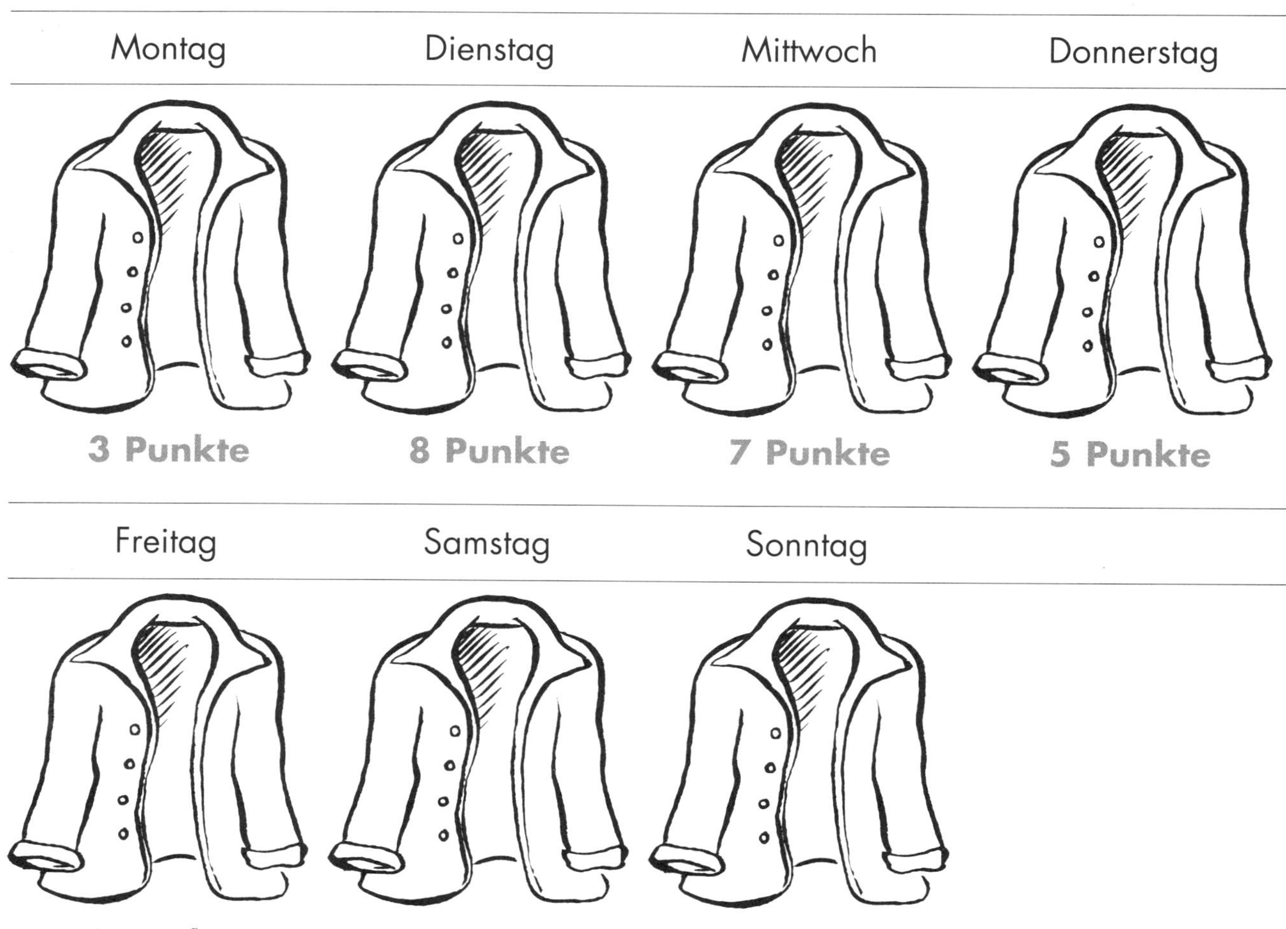

4 • Freds Sonntagsjacke hat 2 Punkte weniger als die Dienstagsjacke.

2 • Auf der Samstagsjacke sind 3 Punkte weniger als auf der Mittwochsjacke.

5 • Am Montag trägt Fred die Jacke, auf der halb so viele Punkte sind wie auf der Jacke vom Vortag.

6 • Die Freitagsjacke hat 6 Punkte mehr als die Jacke, die er am ersten Tag der Woche trägt.

1 • Am Mittwoch trägt Fred die Jacke, die gleich viele Punkte hat, wie die Woche Tage hat.

3 • Am zweiten Tag der Woche trägt Fred die Jacke, die 4 Punkte mehr hat, als die Jacke, die er am sechsten Tag trägt.

Wann trägt Fred die Jacke mit den 5 Punkten?

Am **Donnerstag**

Charlie und seine Brüder

Der Clown Charlie hat zwei Brüder. Er und seine Brüder sehen alle gleich aus. Sie tragen aber Kleider mit unterschiedlichen Mustern.
Lies genau und zeichne, was fehlt.
Wie viele Flicken haben Charlie und Ginger zusammen auf ihren Hosen?

Blumen			
Punkte			
Flicken			

Charlie

3 • Ich habe 4 Flicken mehr auf meiner Hose als Fred.

8 • Auf meinem Hut sind weniger Blumen als bei Ginger, aber mehr als bei Fred.

5 • Auf meiner Jacke sind so viele Punkte wie auf Gingers und Freds Jacken zusammen.

Ginger

1 • Ich habe 5 hübsche Punkte auf meiner Jacke.

9 • Ich habe 6 Flicken mehr auf der Hose als Charlie Blumen auf seinem Hut.

6 • Auf meinem Hut sind 9 Blumen weniger als Punkte auf Charlies Jacke.

Fred

4 • Ich habe 3 Punkte weniger auf meiner Jacke als Charlie Flicken auf der Hose.

2 • Auf meiner Hose sind 2 Flicken mehr als Punkte auf Gingers Jacke.

7 • Meinen Hut mag ich. Es sind 2 Blumen weniger darauf als auf Gingers Hut.

Charlie und seine Brüder

Der Clown Charlie hat zwei Brüder. Er und seine Brüder sehen alle gleich aus. Sie tragen aber Kleider mit unterschiedlichen Mustern.
Lies genau und zeichne, was fehlt.
Wie viele Flicken haben Charlie und Ginger zusammen auf ihren Hosen? **20**

Blumen	**3**	**4**	**2**
Punkte	**13**	**5**	**8**
Flicken	**11**	**9**	**7**

Charlie

3 • Ich habe 4 Flicken mehr auf meiner Hose als Fred.

8 • Auf meinem Hut sind weniger Blumen als bei Ginger, aber mehr als bei Fred.

5 • Auf meiner Jacke sind so viele Punkte wie auf Gingers und Freds Jacken zusammen.

Ginger

1 • Ich habe 5 hübsche Punkte auf meiner Jacke.

9 • Ich habe 6 Flicken mehr auf der Hose als Charlie Blumen auf seinem Hut.

6 • Auf meinem Hut sind 9 Blumen weniger als Punkte auf Charlies Jacke.

Fred

4 • Ich habe 3 Punkte weniger auf meiner Jacke als Charlie Flicken auf der Hose.

2 • Auf meiner Hose sind 2 Flicken mehr als Punkte auf Gingers Jacke.

7 • Meinen Hut mag ich. Es sind 2 Blumen weniger darauf als auf Gingers Hut.

Viele bunte Murmeln

Leo sammelt Murmeln. Er erzählt dir, wie sie aussehen.
Lies und male die Murmeln aus.

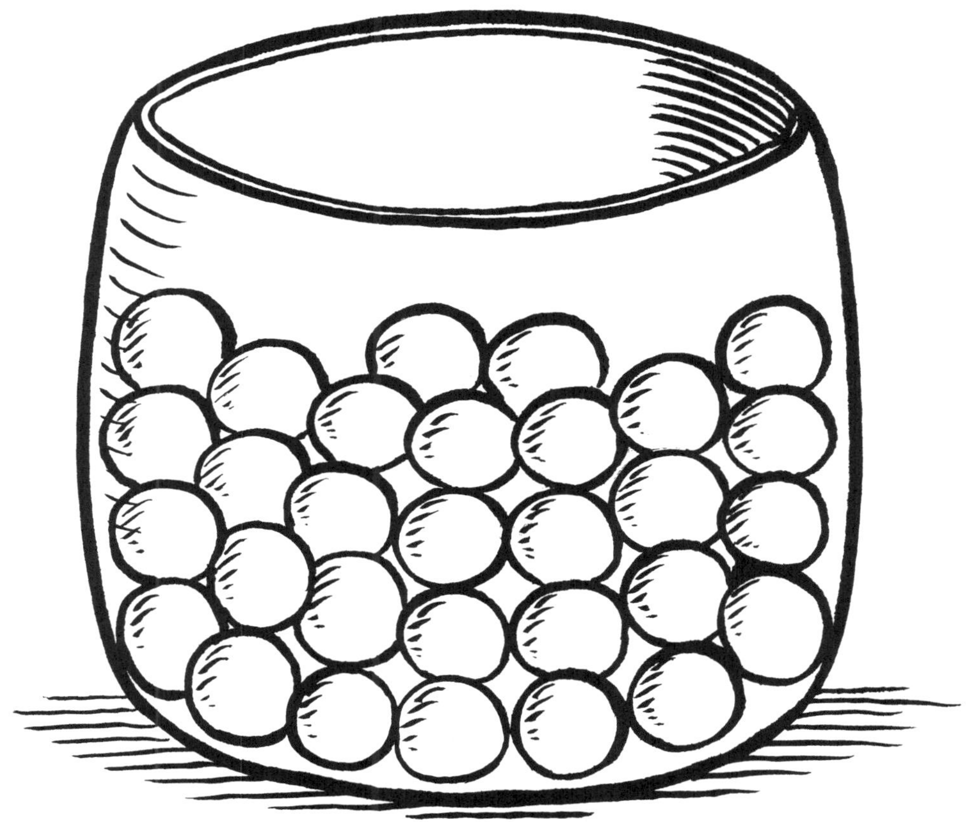

Wie viele meiner Murmeln sind durchsichtig? 

2 • Ich besitze 2 blaue Murmeln mehr als orange.
6 • Von den grünen Murmeln habe ich 4 mehr als von den violetten.
3 • Von den gelben Murmeln habe ich eine weniger als von den blauen.
5 • Von den grünen Murmeln besitze ich mehr als blaue, aber weniger als rote.
1 • In meinem Glas sind 3 orange Murmeln.
4 • Rote Murmeln habe ich gleich viele wie orange und gelbe zusammen.

Viele bunte Murmeln

Lösungen

Leo sammelt Murmeln. Er erzählt dir, wie sie aussehen.
Lies und male die Murmeln aus.

Orange: 3
Blau: 5
Gelb: 4
Rot: 7
Grün: 6
Violett: 2

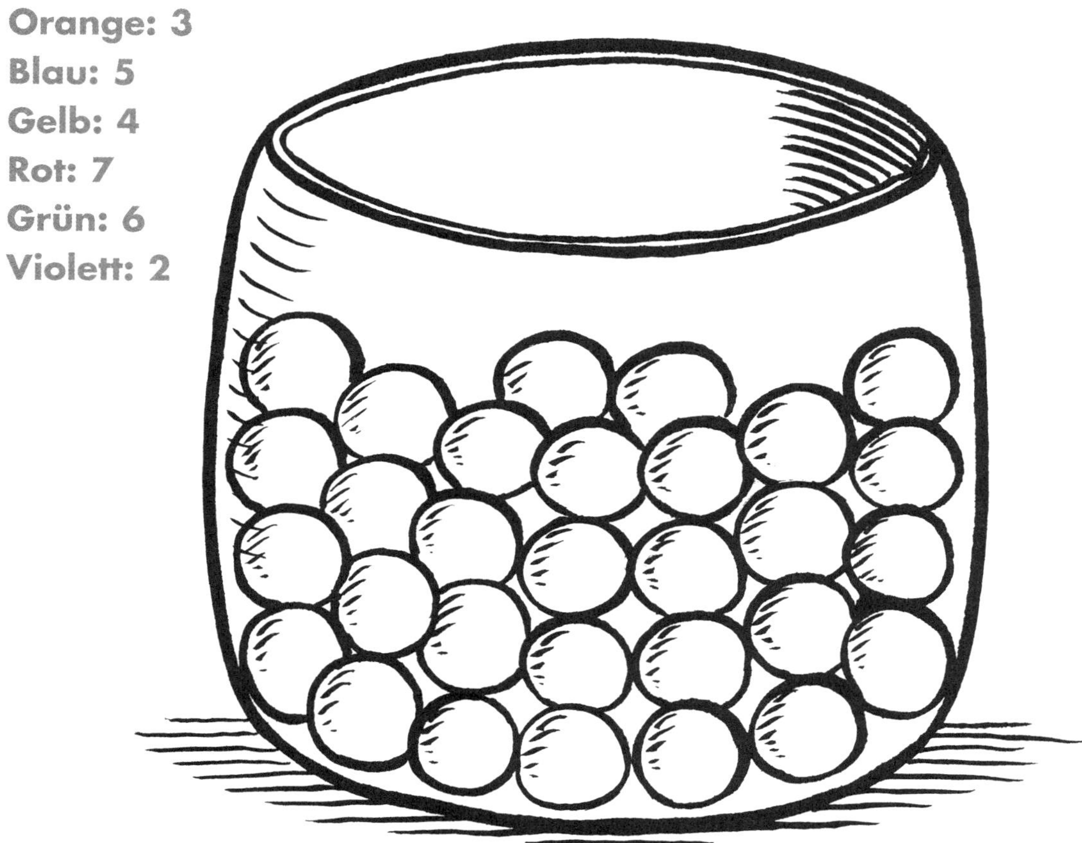

Wie viele meiner Murmeln sind durchsichtig? **3**

2 • Ich besitze 2 blaue Murmeln mehr als orange.
6 • Von den grünen Murmeln habe ich 4 mehr als von den violetten.
3 • Von den gelben Murmeln habe ich eine weniger als von den blauen.
5 • Von den grünen Murmeln besitze ich mehr als blaue, aber weniger als rote.
1 • In meinem Glas sind 3 orange Murmeln.
4 • Rote Murmeln habe ich gleich viele wie orange und gelbe zusammen.

Murmel-Wettkampf

Drei Kinder wollen mit ihren Murmeln einen Wettkampf austragen. Jedes besitzt 30 Murmeln. Finde heraus, welches Kind wie viele Murmeln von jeder Farbe besitzt.

	Denis	Martina	Rahel
grün			
gelb			
rot			
blau			

Denis

7 • Ich habe 3 blaue Murmeln weniger als Martina grüne.

1 • Ich habe ein halbes Dutzend rote Murmeln in meinem Sack.

4 • Grüne Murmeln habe ich eine mehr als Martina blaue und 2 mehr als Rahel rote.

Wie viele gelbe Murmeln habe ich? ☐

Martina

6 • Wenn ich meine grünen und meine gelben Murmeln zusammenzähle, erhalte ich 10.

3 • In meinem Sack sind 6 blaue Murmeln mehr als grüne in Rahels Sack.

Wie viele rote Murmeln gehören mir? ☐

Rahel

2 • Von den grünen Murmeln habe ich eine weniger als Denis von den roten.

5 • Ich besitze 7 rote Murmeln mehr als Martina gelbe.

8 • Zählst du Denis' blaue Murmeln und Martinas rote Murmeln zusammen, erhältst du die Anzahl meiner gelben Murmeln.

Wie viele blaue Murmeln habe ich? ☐

Murmel-Wettkampf

Lösungen

Drei Kinder wollen mit ihren Murmeln einen Wettkampf austragen. Jedes besitzt 30 Murmeln. Finde heraus, welches Kind wie viele Murmeln von jeder Farbe besitzt.

	Denis	Martina	Rahel
grün	**12**	**7**	**5**
gelb	**8**	**3**	**13**
rot	**6**	**9**	**10**
blau	**4**	**11**	**2**

Denis

7 • Ich habe 3 blaue Murmeln weniger als Martina grüne.

1 • Ich habe ein halbes Dutzend rote Murmeln in meinem Sack.

4 • Grüne Murmeln habe ich eine mehr als Martina blaue und 2 mehr als Rahel rote.

Wie viele gelbe Murmeln habe ich?

8

Martina

6 • Wenn ich meine grünen und meine gelben Murmeln zusammenzähle, erhalte ich 10.

3 • In meinem Sack sind 6 blaue Murmeln mehr als grüne in Rahels Sack.

Wie viele rote Murmeln gehören mir?

9

Rahel

2 • Von den grünen Murmeln habe ich eine weniger als Denis von den roten.

5 • Ich besitze 7 rote Murmeln mehr als Martina gelbe.

8 • Zählst du Denis' blaue Murmeln und Martinas rote Murmeln zusammen, erhältst du die Anzahl meiner gelben Murmeln.

Wie viele blaue Murmeln habe ich?

2

Drachenplage

Im Land von König Waldemar ist eine Drachenplage ausgebrochen. Ritter Ohnefurcht zieht aus, um die Biester zu bezwingen. Male die Drachen, die er schon erwischt hat, in den angegebenen Farben aus.

Wie viele Drachen muss Ritter Ohnefurcht noch bändigen? ☐

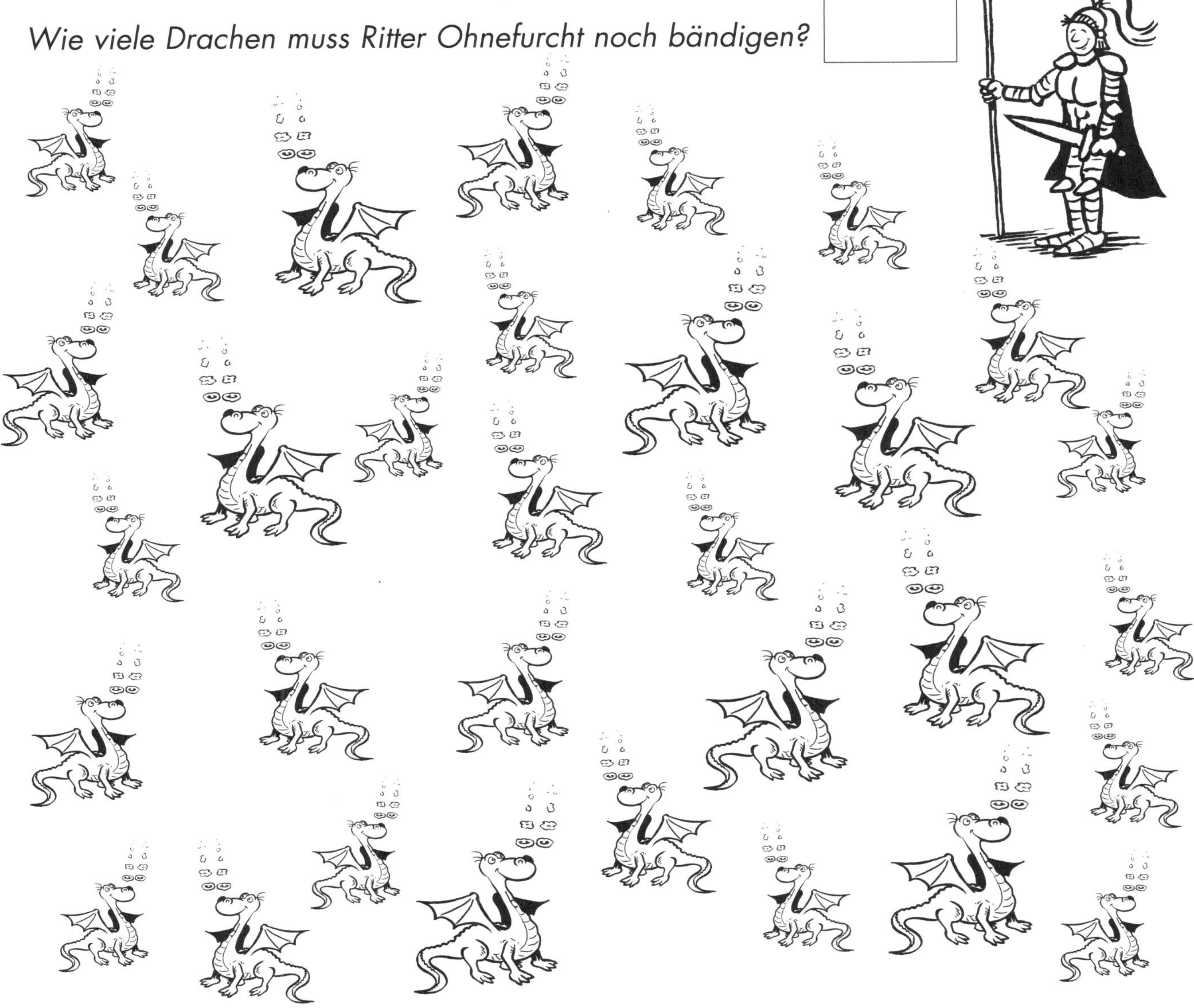

1 • Ritter Ohnefurcht hat bereits ein halbes Dutzend blaue Drachen erwischt.

3 • Von den braunen Drachen hat er erst halb so viele entdeckt wie von den gelben Drachen.

5 • Rote Drachen mag Ritter Ohnefurcht am liebsten. Von denen sind ihm schon so viele vor die Lanze gekommen wie orange und gelbe Drachen zusammen.

2 • Unser Ritter hat einen grünen Drachen mehr beseitigt als von den gelben, aber einen weniger als von den blauen.

4 • Orange und braune Drachen hat er zusammen gleich viele erlegt wie grüne Drachen.

Drachenplage

Im Land von König Waldemar ist eine Drachenplage ausgebrochen. Ritter Ohnefurcht zieht aus, um die Biester zu bezwingen. Male die Drachen, die er schon erwischt hat, in den angegebenen Farben aus.

Wie viele Drachen muss Ritter Ohnefurcht noch bändigen? **5**

Blau: 6
Grün: 5
Gelb: 4
Braun: 2
Orange: 3
Rot: 7

1 • Ritter Ohnefurcht hat bereits ein halbes Dutzend blaue Drachen erwischt.

3 • Von den braunen Drachen hat er erst halb so viele entdeckt wie von den gelben Drachen.

5 • Rote Drachen mag Ritter Ohnefurcht am liebsten. Von denen sind ihm schon so viele vor die Lanze gekommen wie orange und gelbe Drachen zusammen.

2 • Unser Ritter hat einen grünen Drachen mehr beseitigt als von den gelben, aber einen weniger als von den blauen.

4 • Orange und braune Drachen hat er zusammen gleich viele erlegt wie grüne Drachen.

Furchtlose Ritter

Drei furchtlose Ritter sind ins Drachenland gezogen, um möglichst vielen von diesen roten, gelben und grünen Biestern den Garaus zu machen und die Gunst der Prinzessin zu gewinnen.
Lies die Aussagen und ordne die Drachen den Rittern zu.

Wer ist der beste Drachenbezwinger?

	Kunibert	Heribert	Maribert
gelb			
rot			
grün			
insgesamt			

Kunibert

3 • Von den gelben Drachen habe ich einen mehr erwischt als Maribert von den roten.

9 • Grüne Drachen erwischte ich 3 mehr als Heribert rote.

6 • Ich habe doppelt so viele rote Drachen bezwungen wie Maribert gelbe.

Heribert

8 • Im Ganzen konnte ich 14 Drachen den Garaus machen.

4 • Mir ging ein gelber Drache mehr in die Falle als Maribert.

1 • Ich habe schon ein halbes Dutzend grüner Drachen beseitigt.

Maribert

5 • Heribert und ich haben zusammen gleich viele gelbe Drachen gebändigt wie Kunibert allein.

7 • Ich erwischte 3 grüne Drachen mehr als Kunibert rote.

2 • Rote Drachen erlegte ich 2 weniger als Heribert grüne.

Furchtlose Ritter

Drei furchtlose Ritter sind ins Drachenland gezogen, um möglichst vielen von diesen roten, gelben und grünen Biestern den Garaus zu machen und die Gunst der Prinzessin zu gewinnen.
Lies die Aussagen und ordne die Drachen den Rittern zu.

Wer ist der beste Drachenbezwinger? **Kunibert**

	Kunibert	Heribert	Maribert
gelb	**5**	**3**	**2**
rot	**4**	**5**	**4**
grün	**8**	**6**	**7**
insgesamt	**17**	**14**	**13**

Kunibert

3 • Von den gelben Drachen habe ich einen mehr erwischt als Maribert von den roten.

9 • Grüne Drachen erwischte ich 3 mehr als Heribert rote.

6 • Ich habe doppelt so viele rote Drachen bezwungen wie Maribert gelbe.

Heribert

8 • Im Ganzen konnte ich 14 Drachen den Garaus machen.

4 • Mir ging ein gelber Drache mehr in die Falle als Maribert.

1 • Ich habe schon ein halbes Dutzend grüner Drachen beseitigt.

Maribert

5 • Heribert und ich haben zusammen gleich viele gelbe Drachen gebändigt wie Kunibert allein.

7 • Ich erwischte 3 grüne Drachen mehr als Kunibert rote.

2 • Rote Drachen erlegte ich 2 weniger als Heribert grüne.

Kunterbunte Socken

Frau Müller hat Waschtag. Sie hängt die nassen Socken im Freien zum Trocknen auf. An der Leine hängen noch einige Socken von ihren Nachbarn. Male die Socken von Familie Müller in den richtigen Farben aus.

Wie viele Socken hängen von den Nachbarn noch an der Leine?

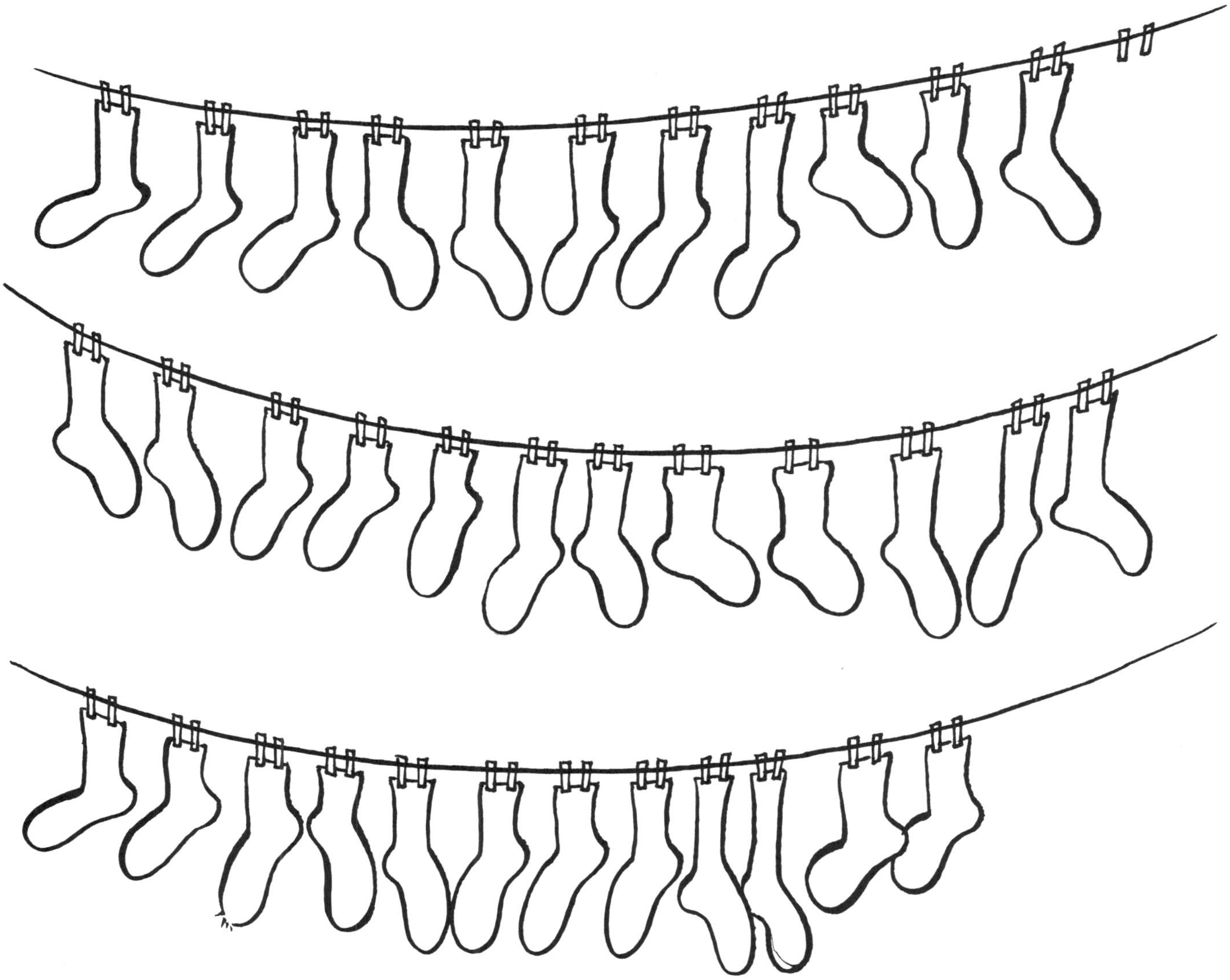

4 • Es hängen gleich viele orange Socken an der Leine wie rote.
1 • Von ihrem Mann hat Frau Müller 4 Paar schwarze Socken gewaschen.
3 • Blaue Socken kannst du einen weniger als gelbe zählen, aber einen mehr als rote.
5 • Frau Müller hat 4 grüne Socken mehr gewaschen als orange.
2 • Es hängen nur halb so viele gelbe Socken an der Leine wie schwarze.
6 • Eine graue Socke fehlt, sonst wären es gleich viele wie grüne Socken.

Kunterbunte Socken

Lösungen

Frau Müller hat Waschtag. Sie hängt die nassen Socken im Freien zum Trocknen auf. An der Leine hängen noch einige Socken von ihren Nachbarn. Male die Socken von Familie Müller in den richtigen Farben aus.

Wie viele Socken hängen von den Nachbarn noch an der Leine? **5**

Schwarz: 8
Gelb: 4
Blau: 3
Rot: 2
Orange: 2
Grün: 6
Grau: 5
Weiß: 5

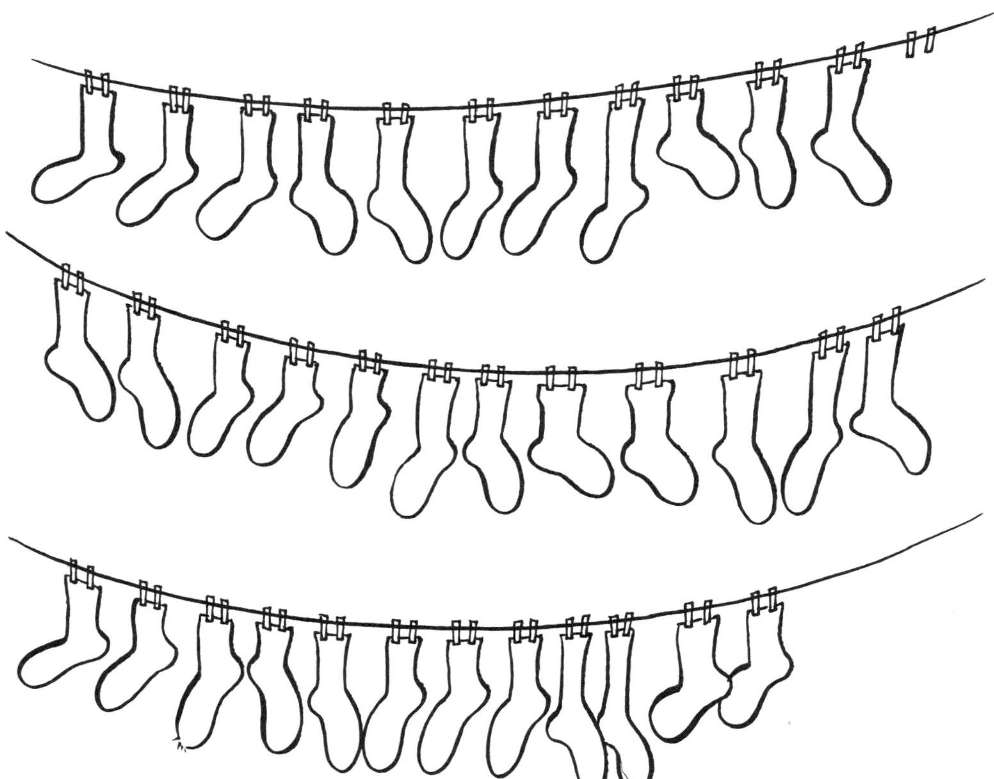

4 • Es hängen gleich viele orange Socken an der Leine wie rote.
1 • Von ihrem Mann hat Frau Müller 4 Paar schwarze Socken gewaschen.
3 • Blaue Socken kannst du einen weniger als gelbe zählen, aber einen mehr als rote.
5 • Frau Müller hat 4 grüne Socken mehr gewaschen als orange.
2 • Es hängen nur halb so viele gelbe Socken an der Leine wie schwarze.
6 • Eine graue Socke fehlt, sonst wären es gleich viele wie grüne Socken.

Waschtag in der Männer-WG

Severin, Michael und Alain haben ihre Socken gewaschen und diese an die Leine auf dem Balkon gehängt.
Lies und ordne die Socken den drei Herren zu.

	Gesamtzahl Socken	Severin	Michael	Alain
schwarze Socken				
graue Socken				
gelbe Socken				
blaue Socken				

3 • Gelbe Socken sind nicht so beliebt bei diesen dreien. Davon sind nur 5 mehr aufgehängt worden als Michael graue Socken gewaschen hat. 3 Paar gehören Severin, ein Paar gehört Alain.

2 • Von den grauen Socken zähle ich 11 mehr als von Michaels schwarzen. 5 Paar gehören Alain und von Severins 2 Paar ist leider eine Socke verloren gegangen.

1 • Es hängen 9 Paar schwarze Socken an der Leine. 4 Paar gehören Alain und halb so viele davon Severin.

4 • Blaue Socken zähle ich 7 Paar mehr, als Michael gelbe Socken trocknen lässt. Severin besitzt 4 Paar und Alain hat eigentlich 3 Paar, nur ist ihm leider eine Socke abhanden gekommen.

Wie viele Paar blaue Socken gehören Michael? ☐

Waschtag in der Männer-WG

Lösungen

Severin, Michael und Alain haben ihre Socken gewaschen und diese an die Leine auf dem Balkon gehängt.
Lies und ordne die Socken den drei Herren zu.

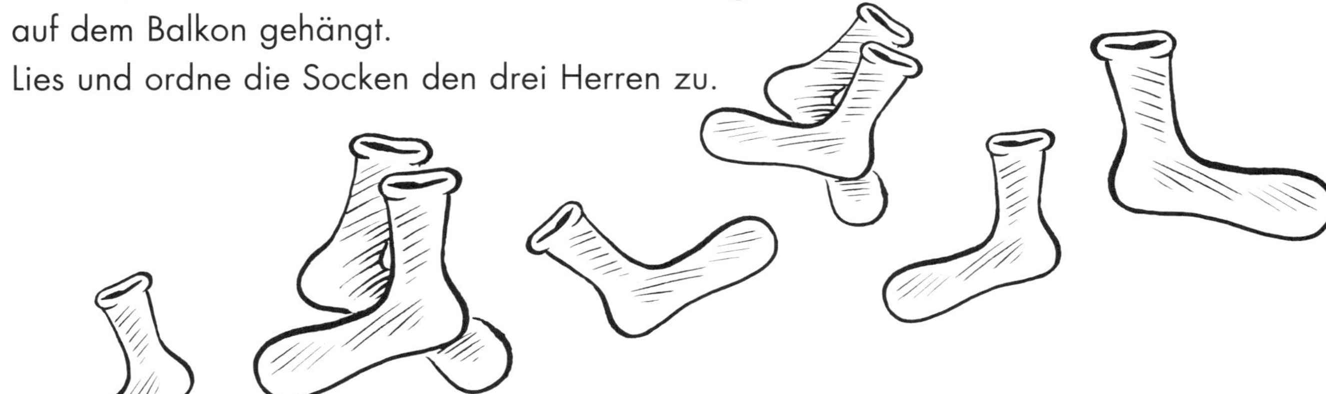

	Gesamtzahl Socken	Severin	Michael	Alain
schwarze Socken	**18**	**4**	**6**	**8**
graue Socken	**17**	**3**	**4**	**10**
gelbe Socken	**9**	**6**	**1**	**2**
blaue Socken	**15**	**8**	**2**	**5**

3 • Gelbe Socken sind nicht so beliebt bei diesen dreien. Davon sind nur 5 mehr aufgehängt worden als Michael graue Socken gewaschen hat.
3 Paar gehören Severin, ein Paar gehört Alain.

2 • Von den grauen Socken zähle ich 11 mehr als von Michaels schwarzen.
5 Paar gehören Alain und von Severins 2 Paar ist leider eine Socke verloren gegangen.

1 • Es hängen 9 Paar schwarze Socken an der Leine. 4 Paar gehören Alain und halb so viele davon Severin.

4 • Blaue Socken zähle ich 7 Paar mehr, als Michael gelbe Socken trocknen lässt.
Severin besitzt 4 Paar und Alain hat eigentlich 3 Paar, nur ist ihm leider eine Socke abhanden gekommen.

Wie viele Paar blaue Socken gehören Michael? **1**

Am liebsten mit viel Zucker

Drei Kinder haben ihr Taschengeld bekommen und düsen schnurstracks in den Bonbonladen um die Ecke. Was suchen sich die Kinder aus? Lies, was sie zur Verkäuferin sagen.
Nimm für jedes Kind eine andere Farbe und kreise damit die Dinge ein, die es eingekauft hat.

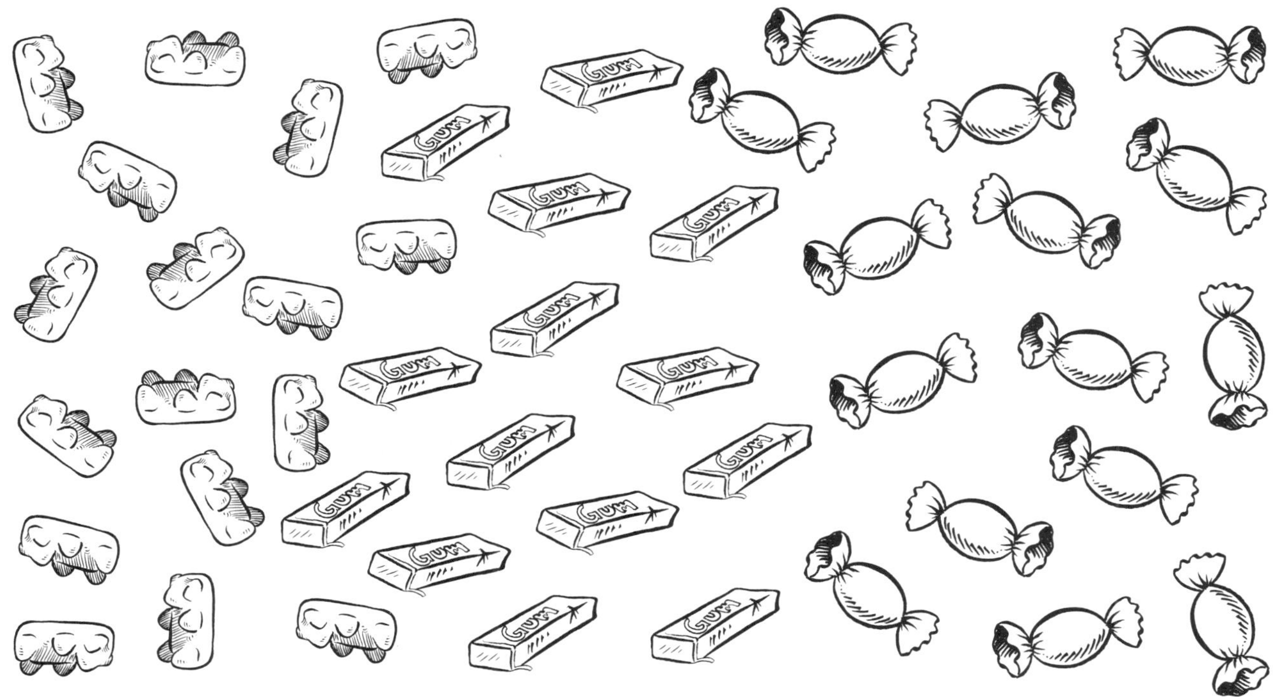

Diana

4 • Von den Kaugummis hätte ich gerne gleich viele wie Tim von den Gummibärchen.

1 • Ich hätte gerne 7 Bonbons.

Tim

6 • Ich nehme 2 Bonbons mehr als Diana Gummibärchen.

3 • Für mich bitte 4 Gummibärchen mehr als Kaugummis für Marco.

Marco

2 • Ich kaufe 3 Kaugummis weniger als Diana Bonbons.

5 • Gummibärchen nehme ich gerne 4 mehr als Tim von den Kaugummis.

Wie viele Bonbons wandern in Marcos Tüte?

Am liebsten mit viel Zucker

Drei Kinder haben ihr Taschengeld bekommen und düsen schnurstracks in den Bonbonladen um die Ecke. Was suchen sich die Kinder aus? Lies, was sie zur Verkäuferin sagen.
Nimm für jedes Kind eine andere Farbe und kreise damit die Dinge ein, die es eingekauft hat.

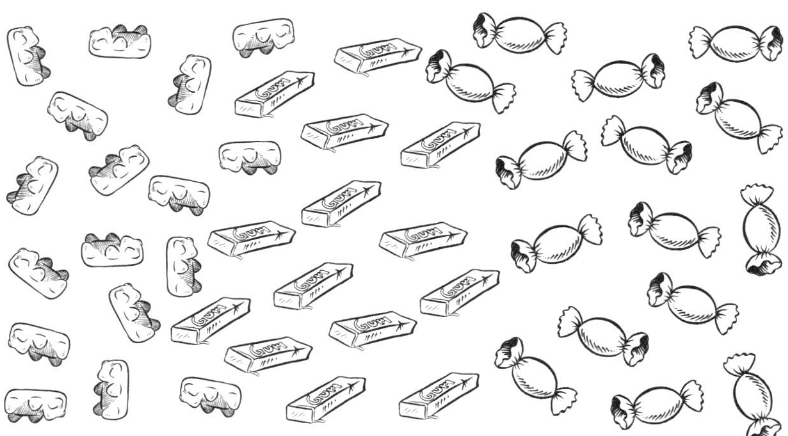

	Diana	Tim	Marco
Bonbons	7	5	3
Kaugummis	8	2	4
Gummibärchen	3	8	6

Diana

4 • Von den Kaugummis hätte ich gerne gleich viele wie Tim von den Gummibärchen.

1 • Ich hätte gerne 7 Bonbons.

Tim

6 • Ich nehme 2 Bonbons mehr als Diana Gummibärchen.

3 • Für mich bitte 4 Gummibärchen mehr als Kaugummis für Marco.

Marco

2 • Ich kaufe 3 Kaugummis weniger als Diana Bonbons.

5 • Gummibärchen nehme ich gerne 4 mehr als Tim von den Kaugummis.

Wie viele Bonbons wandern in Marcos Tüte? **3**

Im Bonbonladen

Frau Sauer öffnet ihr Bonbongeschäft um 13.30 Uhr am Nachmittag. Die Gläser sind frisch aufgefüllt und in jedem Glas befinden sich 100 Bonbons. In der ersten halben Stunde bedient sie drei Kinder.

Lies und beantworte die Frage:

Wie viele rosa Bonbons sind in Sabrinas Tüte? ☐

	rote	gelbe	grüne	violette	rosa
Sabrina					
Tobias					
Tina					

6 • In Tinas Tüte steckte ich doppelt so viele violette Bonbons wie in Sabrinas Tüte gelbe.

2 • Tina kaufte halb so viele rote Bonbons wie Sabrina grüne.

9 • Ich habe heute schon 64 grüne Bonbons verkauft.

4 • Sabrina kaufte fünfmal weniger violette Bonbons wie Tobias rosafarbene.

7 • Von den violetten Bonbons sind jetzt noch 71 Stück im Glas.

1 • Nach Sabrinas Besuch waren noch 70 grüne Bonbons im Glas.

12 • Tina hatte am Schluss 55 Bonbons in ihrer Tüte.

5 • Von den gelben Bonbons hat Sabrina doppelt so viele gekauft wie von den violetten.

8 • Tobias kaufte siebenmal mehr grüne Bonbons als violette.

3 • Für Tobias habe ich 10 rosa Bonbons mehr abgezählt als rote für Tina.

11 • Sabrina kaufte halb so viele rote Bonbons wie Tobias, aber doppelt so viele wie Tina von den rosa Bonbons.

13 • Im Glas mit den gelben Bonbons müssen jetzt noch 73 Stück sein und im Glas mit den rosa Bonbons zähle ich noch 62 Stück.

10 • Für Tobias habe ich sechs rote Bonbons weniger abgezählt als grüne für Sabrina.

Im Bonbonladen

Lösungen

Frau Sauer öffnet ihr Bonbongeschäft um 13.30 Uhr am Nachmittag. Die Gläser sind frisch aufgefüllt und in jedem Glas befinden sich 100 Bonbons. In der ersten halben Stunde bedient sie drei Kinder.

Lies und beantworte die Frage:

Wie viele rosa Bonbons sind in Sabrinas Tüte? **7**

	rote	gelbe	grüne	violette	rosa
Sabrina	**12**	**10**	**30**	**5**	**7**
Tobias	**24**	**9**	**28**	**4**	**25**
Tina	**15**	**8**	**6**	**20**	**6**

6 • In Tinas Tüte steckte ich doppelt so viele violette Bonbons wie in Sabrinas Tüte gelbe.

2 • Tina kaufte halb so viele rote Bonbons wie Sabrina grüne.

9 • Ich habe heute schon 64 grüne Bonbons verkauft.

4 • Sabrina kaufte fünfmal weniger violette Bonbons wie Tobias rosafarbene.

7 • Von den violetten Bonbons sind jetzt noch 71 Stück im Glas.

1 • Nach Sabrinas Besuch waren noch 70 grüne Bonbons im Glas.

12 • Tina hatte am Schluss 55 Bonbons in ihrer Tüte.

5 • Von den gelben Bonbons hat Sabrina doppelt so viele gekauft wie von den violetten.

8 • Tobias kaufte siebenmal mehr grüne Bonbons als violette.

3 • Für Tobias habe ich 10 rosa Bonbons mehr abgezählt als rote für Tina.

11 • Sabrina kaufte halb so viele rote Bonbons wie Tobias, aber doppelt so viele wie Tina von den rosa Bonbons.

13 • Im Glas mit den gelben Bonbons müssen jetzt noch 73 Stück sein und im Glas mit den rosa Bonbons zähle ich noch 62 Stück.

10 • Für Tobias habe ich sechs rote Bonbons weniger abgezählt als grüne für Sabrina.

Frisch bepflanzte Gartenbeete

Kevin, Beni und Maria haben ihre Gartenbeete frisch bepflanzt.
Lies und finde heraus, wer was gesetzt hat.

	Kevins Beet	Benis Beet	Marias Beet

Kevin

1 • Von meinen 15 Setzzwiebeln waren leider 3 faul.

Wie viele Knoblauchzehen habe ich gesetzt?

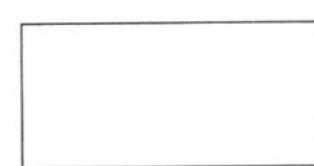

Beni

5 • Ich habe eine Setzzwiebel mehr gesetzt als Maria, aber eine weniger als Kevin Knoblauchzehen.

3 • Von den Knoblauchzehen habe ich 4 mehr eingegraben als Maria.

Maria

4 • Beni hat 3 Knoblauchzehen mehr gesetzt als ich Zwiebeln.

2 • Ich habe halb so viele Knoblauchzehen gesetzt wie Kevin Zwiebeln.

Frisch bepflanzte Gartenbeete

Lösungen

Kevin, Beni und Maria haben ihre Gartenbeete frisch bepflanzt.
Lies und finde heraus, wer was gesetzt hat.

	Kevins Beet	Benis Beet	Marias Beet
	12	**8**	**7**
	9	**10**	**6**

Kevin

1 • Von meinen 15 Setzzwiebeln waren leider 3 faul.

Wie viele Knoblauchzehen habe ich gesetzt?

9

Beni

5 • Ich habe eine Setzzwiebel mehr gesetzt als Maria, aber eine weniger als Kevin Knoblauchzehen.

3 • Von den Knoblauchzehen habe ich 4 mehr eingegraben als Maria.

Maria

4 • Beni hat 3 Knoblauchzehen mehr gesetzt als ich Zwiebeln.

2 • Ich habe halb so viele Knoblauchzehen gesetzt wie Kevin Zwiebeln.

Frühling im Garten

Drei Kinder haben im Herbst im Garten gearbeitet.
Jetzt im Frühling wächst und blüht es in ihren Blumenbeeten.
Lies und finde heraus, was in welchem Beet blüht.

Wie viele Tulpen blühen in Frederics Beet? ☐

	Julias Beet	Frederics Beet	Gabrielas Beet
Primeln			
Tulpen			
Narzissen			

Julia

1 • Im Herbst habe ich 6 Tulpenzwiebeln gesetzt. 2 sind wohl leider von Mäusen gefressen worden.

8 • In meinem Beet blühen 4 Primeln weniger als bei Frederic.

5 • Bei mir blühen gleich viele Narzissen wie bei Gabriela und Frederic zusammen.

Frederic

7 • Ich habe 11 blühende Primeln mehr als Gabriela Tulpen.

9 • Wenn ich von Julias Primeln die Anzahl meiner Narzissen abzähle, bekomme ich die Anzahl meiner Tulpen.

3 • In meinem Beet blüht eine Narzisse weniger als Primeln in Gabrielas Beet blühen.

Gabriela

4 • Ich habe 6 Narzissen mehr in meinem Beet als Frederic.

2 • In meinem Beet blühen 3 Primeln mehr als Tulpen in Julias Beet.

6 • Von den Tulpen habe ich 10 Stück weniger als Julia von ihren Narzissen.

Frühling im Garten

Lösungen

Drei Kinder haben im Herbst im Garten gearbeitet.
Jetzt im Frühling wächst und blüht es in ihren Blumenbeeten.
Lies und finde heraus, was in welchem Beet blüht.

Wie viele Tulpen blühen in Frederics Beet? **9**

	Julias Beet	Frederics Beet	Gabrielas Beet
Primeln	**15**	**19**	**7**
Tulpen	**4**	**9**	**8**
Narzissen	**18**	**6**	**12**

Julia

1 • Im Herbst habe ich 6 Tulpenzwiebeln gesetzt. 2 sind wohl leider von Mäusen gefressen worden.

8 • In meinem Beet blühen 4 Primeln weniger als bei Frederic.

5 • Bei mir blühen gleich viele Narzissen wie bei Gabriela und Frederic zusammen.

Frederic

7 • Ich habe 11 blühende Primeln mehr als Gabriela Tulpen.

9 • Wenn ich von Julias Primeln die Anzahl meiner Narzissen abzähle, bekomme ich die Anzahl meiner Tulpen.

3 • In meinem Beet blüht eine Narzisse weniger als Primeln in Gabrielas Beet blühen.

Gabriela

4 • Ich habe 6 Narzissen mehr in meinem Beet als Frederic.

2 • In meinem Beet blühen 3 Primeln mehr als Tulpen in Julias Beet.

6 • Von den Tulpen habe ich 10 Stück weniger als Julia von ihren Narzissen.

Nikolaus in Sicht

Auf dem Tisch liegen viele gute Sachen ausgebreitet. Was kommt in welchen Nikolaussack?
Lies genau und packe die Sachen in die Säcke, indem du die Dinge mit der Farbe des jeweiligen Sackes einkreist.

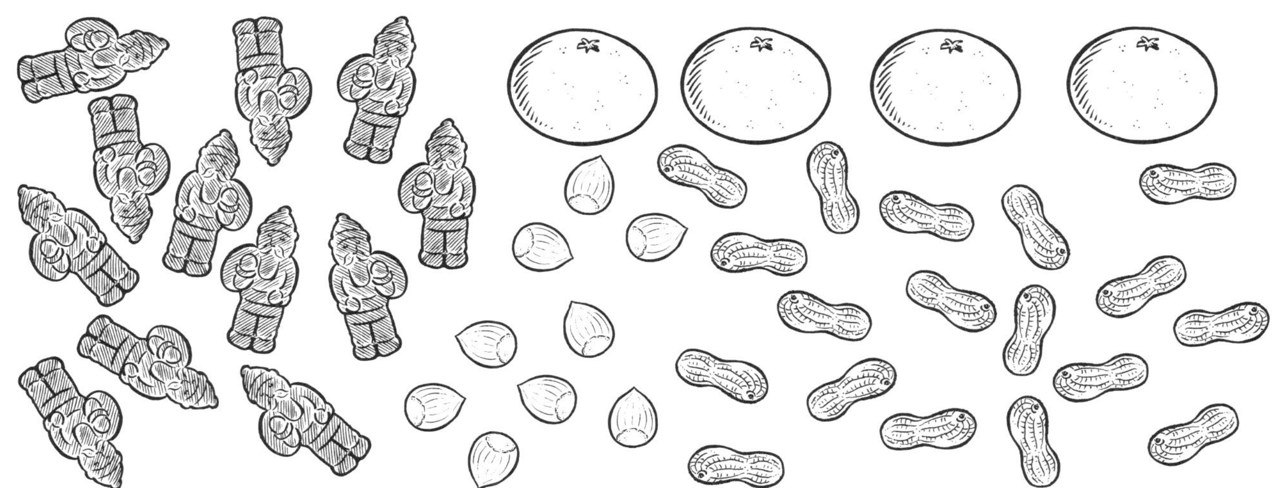

roter Sack

Hier sind 5 Erdnüsse drin.

Von den Haselnüssen gehören 3 weniger hierher als von den Erdnüssen.

Schokolädchen sind hier drin doppelt so viele wie Haselnüsse.

Mandarinen sind es 3 weniger als von den Schoko-lädchen.

blauer Sack

Hier ist 1 Haselnuss weni-ger drin als Schokolädchen im roten Sack sind.

Es befindet sich eine Mandarine weniger im Sack als Haselnüsse.

Es gehören 5 Erdnüsse mehr hinein als Mandarinen.

Schokolädchen sind es 4 weniger als Erdnüsse.

brauner Sack

Wie viele Sachen sind in diesem Sack?

Schokolädchen:

Haselnüsse:

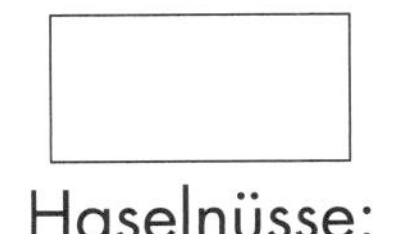

Mandarinen:

Erdnüsse:

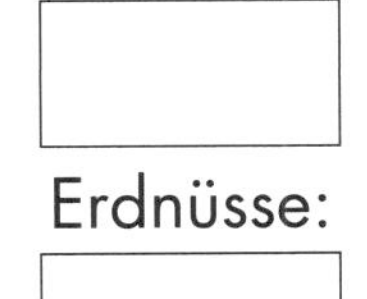

Nikolaus in Sicht

Lösungen

Auf dem Tisch liegen viele gute Sachen ausgebreitet. Was kommt in welchen Nikolaussack?
Lies genau und packe die Sachen in die Säcke, indem du die Dinge mit der Farbe des jeweiligen Sackes einkreist.

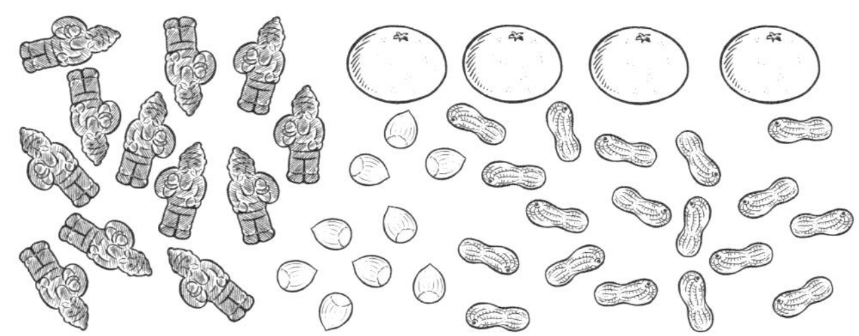

	roter Sack	blauer Sack	brauner Sack
Schokolädchen	4	3	5
Mandarinen	1	2	1
Haselnüsse	2	3	4
Erdnüsse	5	7	6

Hier sind 5 Erdnüsse drin.

Von den Haselnüssen gehören 3 weniger hierher als von den Erdnüssen.

Schokolädchen sind hier drin doppelt so viele wie Haselnüsse.

Mandarinen sind es 3 weniger als von den Schokolädchen.

blauer Sack

Hier ist 1 Haselnuss weniger drin als es Schokolädchen im roten Sack sind.

Es befindet sich eine Mandarine weniger im Sack als von den Haselnüssen.

Es gehören 5 Erdnüsse mehr hinein als Mandarinen.

Schokolädchen sind es 4 weniger als Erdnüsse.

brauner Sack

Wie viele Sachen sind in diesem Sack?

Schokolädchen: 5

Haselnüsse: 4

Mandarinen: 1

Erdnüsse: 6

Besuch vom Nikolaus

Drei Kinder hatten nächtlichen Besuch und finden am Morgen Leckereien auf ihren Nikolaustellern. Lies und finde heraus:

Wie viele Haselnüsse hat Stefanie bekommen? ☐

	Kevin	Jessica	Stefanie
Haselnüsse			
Schokoladenherzen			
Erdnüsse			
Mandarinen			

Kevin

7 • Wenn ich 2 Erdnüsse essen würde, hätte ich gleich viele wie Stefanie.

4 • Ich habe 3 Schokoladenherzen mehr als Stefanie Mandarinen.

10 • Mandarinen habe ich mehr als Jessica, aber weniger als Stefanie.

2 • Auf meinem Teller liegen 3 Haselnüsse mehr als Schokoladenherzen auf Jessicas Teller.

Jessica

9 • Stefanie hat dreimal so viele Schokoladenherzen wie ich Mandarinen habe.

1 • Ich habe 7 Schokoladenherzen.

5 • Ich habe gleich viele Erdnüsse wie die Anzahl von Kevins und meinen Schokoladenherzen zusammen.

11 • Auf meinem Teller liegen im Ganzen 31 Sachen.

Stefanie

3 • Kevin hat 5 Haselnüsse mehr bekommen als ich Mandarinen.

6 • Von den Erdnüssen habe ich 4 weniger als Jessica.

12 • Wir haben zusammen 21 Haselnüsse auf unseren Tellern.

8 • Kevin hat 4 Erdnüsse mehr als ich Schokoladenherzen.

Besuch vom Nikolaus

Lösungen

Drei Kinder hatten nächtlichen Besuch und finden am Morgen Leckereien auf ihren Nikolaustellern. Lies und finde heraus:

Wie viele Haselnüsse hat Stefanie bekommen? **5**

	Kevin	Jessica	Stefanie
Haselnüsse	**10**	**6**	**5**
Schokoladenherzen	**8**	**7**	**9**
Erdnüsse	**13**	**15**	**11**
Mandarinen	**4**	**3**	**5**

<u>Kevin</u>

7 • Wenn ich 2 Erdnüsse essen würde, hätte ich gleich viele wie Stefanie.

4 • Ich habe 3 Schokoladenherzen mehr als Stefanie Mandarinen.

10 • Mandarinen habe ich mehr als Jessica, aber weniger als Stefanie.

2 • Auf meinem Teller liegen 3 Haselnüsse mehr als Schokoladenherzen auf Jessicas Teller.

<u>Jessica</u>

9 • Stefanie hat dreimal so viele Schokoladenherzen wie ich Mandarinen habe.

1 • Ich habe 7 Schokoladenherzen.

5 • Ich habe gleich viele Erdnüsse wie die Anzahl von Kevins und meinen Schokoladenherzen zusammen.

11 • Auf meinem Teller liegen im Ganzen 31 Sachen.

<u>Stefanie</u>

3 • Kevin hat 5 Haselnüsse mehr bekommen als ich Mandarinen.

6 • Von den Erdnüssen habe ich 4 weniger als Jessica.

12 • Wir haben zusammen 21 Haselnüsse auf unseren Tellern.

8 • Kevin hat 4 Erdnüsse mehr als ich Schokoladenherzen.

Es weihnachtet sehr

Sieben Kinder haben zusammen eine prächtige Tanne gezeichnet. Jetzt malen sie Schmuck an ihren Weihnachtsbaum.
Fülle die Tabelle aus und
zeichne die Dinge an den Baum.

Kerzen	Kugeln	Äpfel	Engel	Geschenke	Schokoladen-anhänger	Sterne

5 • Yanik malt 2 Geschenke mehr unter den Baum, als Marius Engel an die Äste gezeichnet hat.

3 • Sandra zeichnet Äpfel an den Baum. Nun hängen 6 Äpfel weniger am Baum als Kugeln.

1 • Martina malt 9 Kerzen.

6 • Rahel mag Schokoladenanhänger am liebsten. Sie zeichnet davon 5 mehr als Yanik Geschenke.

4 • Marius zeichnet Engel. Jetzt sind es mehr Engel als Äpfel, aber weniger Engel als Kerzen.

2 • Peter zeichnet 4 Kugeln mehr als Martina Kerzen.

Wie viele Sterne zeichnet Benno zum Schluss an den Weihnachtsbaum, wenn er davon 4 weniger zeichnet als Rahel von den Schokoladenanhängern? ☐

Es weihnachtet sehr

Lösungen

Sieben Kinder haben zusammen eine prächtige Tanne gezeichnet. Jetzt malen sie Schmuck an ihren Weihnachtsbaum.
Fülle die Tabelle aus und
zeichne die Dinge an den Baum.

Kerzen	Kugeln	Äpfel	Engel	Geschenke	Schokoladen-anhänger	Sterne
9	13	7	8	10	15	11

5 • Yanik malt 2 Geschenke mehr unter den Baum, als Marius Engel an die Äste gezeichnet hat.

3 • Sandra zeichnet Äpfel an den Baum. Nun hängen 6 Äpfel weniger am Baum als Kugeln.

1 • Martina malt 9 Kerzen.

6 • Rahel mag Schokoladenanhänger am liebsten. Sie zeichnet davon 5 mehr als Yanik Geschenke.

4 • Marius zeichnet Engel. Jetzt sind es mehr Engel als Äpfel, aber weniger Engel als Kerzen.

2 • Peter zeichnet 4 Kugeln mehr als Martina Kerzen.

Wie viele Sterne zeichnet Benno zum Schluss an den Weihnachtsbaum, wenn er davon 4 weniger zeichnet als Rahel von den Schokoladenanhängern? **11**

Weihnachtsbäume

Drei Kinder malen in der Schule Weihnachtsbäume. Unter die Bäume zeichnen sie Geschenke, an die Äste Kugeln, Sterne und Kerzen.
Lies und finde heraus: *Wie viele Sterne hat Kati gemalt?* ☐

	Kati	Lisa	Beni
Sterne			
Kerzen			
Kugeln			
Geschenke			

Kati

8 • Lisa hat mehr Geschenke gemalt als Beni, aber weniger als ich.

1 • Unter meinem Weihnachtsbaum liegen 8 Geschenke.

11 • Ich habe so viele Kugeln wie Lisas Geschenke und Benis Sterne zusammengezählt.

5 • Ich habe 2 Kerzen weniger an meinem Baum als Beni.

Lisa

3 • Beni hat nur halb so viele Kugeln gemalt wie ich.

6 • Von den Sternen habe ich mehr als Kati Kerzen, aber weniger als Beni Kerzen.

9 • Alle zusammen haben wir 33 Kerzen an unseren Bäumen.

2 • Ich habe 6 Kugeln mehr gemalt als Kati Geschenke.

Beni

10 • Sterne habe ich 4 weniger als Lisa Kerzen.

4 • Mein Weihnachtsbaum wird geschmückt von insgesamt 20 Kugeln und Kerzen.

7 • Ich habe nur halb so viele Geschenke gemalt wie Lisa Sterne.

12 • Hätte ich noch 2 Sterne mehr gemalt, wären 25 Sterne an unseren Bäumen.

Weihnachtsbäume

Drei Kinder malen in der Schule Weihnachtsbäume. Unter die Bäume zeichnen sie Geschenke, an die Äste Kugeln, Sterne und Kerzen.
Lies und finde heraus: *Wie viele Sterne hat Kati gemalt?* **6**

	Kati	Lisa	Beni
Sterne	6	12	5
Kerzen	11	9	13
Kugeln	12	14	7
Geschenke	8	7	6

Kati

8 • Lisa hat mehr Geschenke gemalt als Beni, aber weniger als ich.

1 • Unter meinem Weihnachtsbaum liegen 8 Geschenke.

11 • Ich habe so viele Kugeln wie Lisas Geschenke und Benis Sterne zusammengezählt.

5 • Ich habe 2 Kerzen weniger an meinem Baum als Beni.

Lisa

3 • Beni hat nur halb so viele Kugeln gemalt wie ich.

6 • Von den Sternen habe ich mehr als Kati Kerzen, aber weniger als Beni Kerzen.

9 • Alle zusammen haben wir 33 Kerzen an unseren Bäumen.

2 • Ich habe 6 Kugeln mehr gemalt als Kati Geschenke.

Beni

10 • Sterne habe ich 4 weniger als Lisa Kerzen.

4 • Mein Weihnachtsbaum wird geschmückt von insgesamt 20 Kugeln und Kerzen.

7 • Ich habe nur halb so viele Geschenke gemalt wie Lisa Sterne.

12 • Hätte ich noch 2 Sterne mehr gemalt, wären 25 Sterne an unseren Bäumen.

Kleine Bären

Melanie und Sandra haben zusammen viele bunte Gummibärchen.
Lies und fülle die Tabelle aus. Male die Gummibärchen in den richtigen Farben aus und packe sie für die Mädchen in eine Tüte.

Wie viele gelbe Gummibärchen besitzt Sandra? ☐

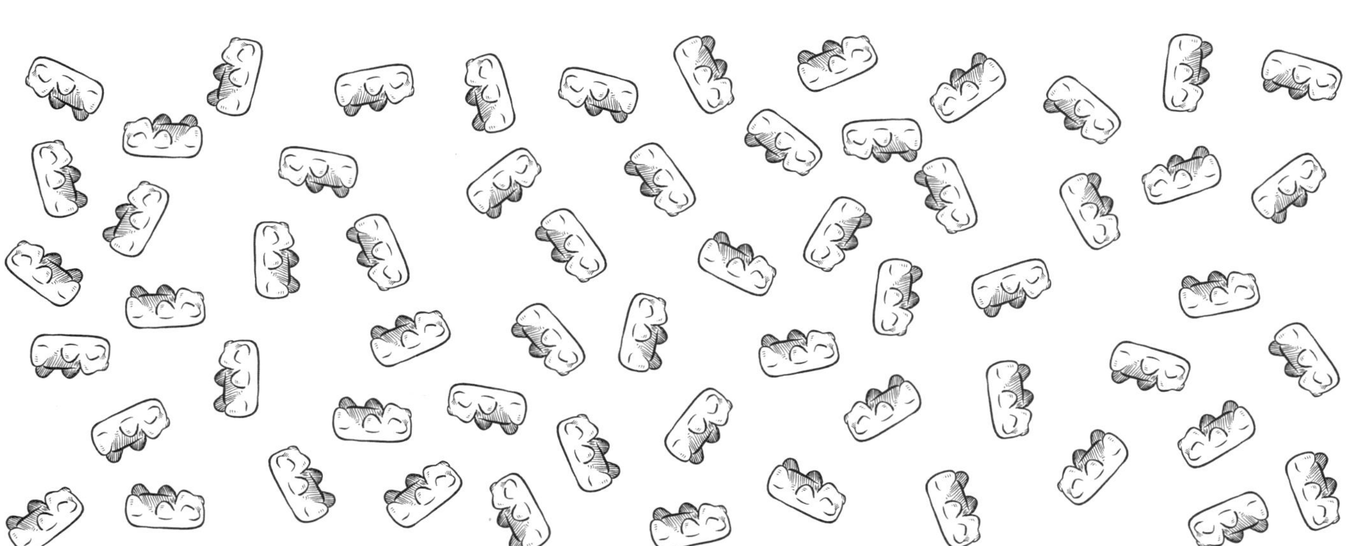

gelb	rot	grün	blau

gelb	rot	grün	blau

Melanie

3 • 3 grüne Bärchen fehlen mir, sonst hätte ich gleich viele wie Sandra von den roten Gummibärchen.

1 • Ich habe 2 Brüder und 3 Schwestern und könnte jedem ein blaues Gummibärchen geben.

5 • Insgesamt besitze ich 30 Gummibärchen.

Sandra

4 • Ich habe ein blaues Bärchen mehr als Melanie von den grünen, aber eines weniger als Melanie von den gelben.

6 • Ich habe 3 grüne Gummibärchen weniger als Melanie rote.

2 • Von den roten Bärchen habe ich 6 mehr als Melanie von den blauen.

Kleine Bären

Melanie und Sandra haben zusammen viele bunte Gummibärchen.
Lies und fülle die Tabelle aus. Male die Gummibärchen in den richtigen Farben aus und packe sie für die Mädchen in eine Tüte.

Wie viele gelbe Gummibärchen besitzt Sandra? 

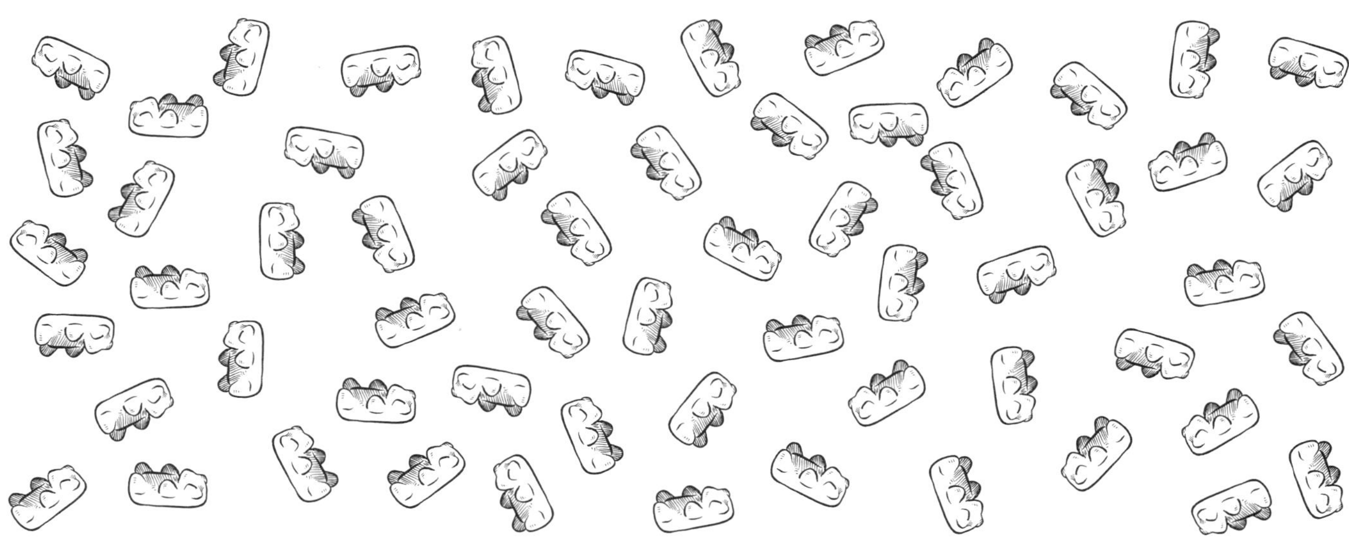

gelb	rot	grün	blau
10	7	8	5

gelb	rot	grün	blau
6	11	4	9

Melanie

3 • 3 grüne Bärchen fehlen mir, sonst hätte ich gleich viele wie Sandra von den roten Gummibärchen.

1 • Ich habe 2 Brüder und 3 Schwestern und könnte jedem ein blaues Gummibärchen geben.

5 • Insgesamt besitze ich 30 Gummibärchen.

Sandra

4 • Ich habe ein blaues Bärchen mehr als Melanie von den grünen, aber eines weniger als Melanie von den gelben.

6 • Ich habe 3 grüne Gummibärchen weniger als Melanie rote.

2 • Von den roten Bärchen habe ich 6 mehr als Melanie von den blauen.

Eine Tüte Gummibärchen

Tim und Tom haben eine Tüte Gummibärchen bekommen und unter sich aufgeteilt. Lies und finde heraus, wie viele Gummibärchen sie noch auf ihren Tellern haben.

Wie viele grüne Gummibärchen haben Tim und Tom zusammen? ☐

	Tim	Tom
violette		
grüne		
rote		
gelbe		
orange		

Tim

4 • Von den orangen Gummibärchen habe ich 8 mehr als Tom rote.

7 • Ich habe gleich viele rote Gummibärchen wie Tom rote und gelbe zusammen.

1 • Zusammen haben wir 20 violette Gummibärchen.

10 • Ich habe mehr grüne Gummibärchen als rote, aber weniger als Tom orange.

6 • Tom hat 4 grüne Gummibärchen weniger als ich rote.

Tom

9 • Unsere gelben Gummibärchen zusammengezählt ergeben die Anzahl meiner orangen Gummibärchen.

3 • Ich habe 4 rote Gummibärchen weniger als violette.

2 • Wir haben beide gleich viele violette Gummibärchen.

8 • Tim hat 3 gelbe Gummibärchen mehr als ich.

5 • Von den grünen Gummibärchen sind nur halb so viele auf meinem Teller wie orange auf Tims Teller.

Eine Tüte Gummibärchen

Lösungen

Tim und Tom haben eine Tüte Gummibärchen bekommen und unter sich aufgeteilt. Lies und finde heraus, wie viele Gummibärchen sie noch auf ihren Tellern haben.

Wie viele grüne Gummibärchen haben Tim und Tom zusammen? **19**

	Tim	Tom
violette	**10**	**10**
grüne	**12**	**7**
rote	**11**	**6**
gelbe	**8**	**5**
orange	**14**	**13**

Tim

4 • Von den orangen Gummibärchen habe ich 8 mehr als Tom rote.

7 • Ich habe gleich viele rote Gummibärchen wie Tom rote und gelbe zusammen.

1 • Zusammen haben wir 20 violette Gummibärchen.

10 • Ich habe mehr grüne Gummibärchen als rote, aber weniger als Tom orange.

6 • Tom hat 4 grüne Gummibärchen weniger als ich rote.

Tom

9 • Unsere gelben Gummibärchen zusammengezählt ergeben die Anzahl meiner orangen Gummibärchen.

3 • Ich habe 4 rote Gummibärchen weniger als violette.

2 • Wir haben beide gleich viele violette Gummibärchen.

8 • Tim hat 3 gelbe Gummibärchen mehr als ich.

5 • Von den grünen Gummibärchen sind nur halb so viele auf meinem Teller wie orange auf Tims Teller.

Rätselraten

Acht Schülerinnen und Schüler schreiben sich eine Zahl auf. Welche Zahlen haben sie sich ausgedacht?
Schreibe die Zahlen zu den Namen.

6 • **Fabian:**
Wenn ich zu Kims Zahl 7 dazuzähle, bekomme ich meine Zahl.

5 • **Kim:**
Meine Zahl ist um 9 kleiner als Ralfs Zahl.

1 • **Tanja:**
Meine Zahl ist um 5 größer als 8.

4 • **Ralf:**
Meine Zahl ist um 4 größer als Svens Zahl.

2 • **Julia:**
Meine Zahl ist um 7 kleiner als Tanjas Zahl.

3 • **Sven:**
Julias Zahl ist um 11 kleiner als meine Zahl.

Rätselraten

Lösungen

Acht Schülerinnen und Schüler schreiben sich eine Zahl auf. Welche Zahlen haben sie sich ausgedacht?
Schreibe die Zahlen zu den Namen.

6 • **Fabian:**
Wenn ich zu Kims Zahl 7 dazuzähle, bekomme ich meine Zahl.

5 • **Kim:**
Meine Zahl ist um 9 kleiner als Ralfs Zahl.

1 • **Tanja:**
Meine Zahl ist um 5 größer als 8.

4 • **Ralf:**
Meine Zahl ist um 4 größer als Svens Zahl.

2 • **Julia:**
Meine Zahl ist um 7 kleiner als Tanjas Zahl.

3 • **Sven:**
Julias Zahl ist um 11 kleiner als meine Zahl.

Zahlenrätsel

Drei Kinder haben sich je drei Zahlen aufgeschrieben.
Für die übrigen Kinder in der Klasse erfinden sie ein Rätsel, damit diese die Zahlen herausfinden können.

Wie lautet die Summe von Simons drei Zahlen? 

1. Zahl
2. Zahl
3. Zahl

Maria

1 • Meine erste Zahl ist durch 5 teilbar. Sie ist größer als 20 und kleiner als 30.

4 • Meine dritte Zahl bekommst du, wenn du Simons dritte Zahl zuerst durch 5 teilst und dann das Vierfache ausrechnest.

8 • Davids dritte Zahl mal 4 gerechnet und noch die Hälfte seiner Zahl dazugezählt, ergibt meine zweite Zahl.

1. Zahl
2. Zahl
3. Zahl

David

5 • Verdopple Marias dritte Zahl und zähle noch die Hälfte ihrer dritten Zahl dazu, um meine erste Zahl zu bekommen.

2 • Meine zweite Zahl ist doppelt so groß wie Marias erste Zahl.

7 • Meine dritte Zahl hat in Simons zweiter Zahl dreimal Platz.

1. Zahl
2. Zahl
3. Zahl

Simon

3 • Meine dritte Zahl hat gleich viele Einer wie Davids zweite Zahl Zehner, aber einen Zehner mehr als seine Zahl Einer.

6 • Wenn ich Davids erste Zahl zuerst durch 5 teile und dann mal 4 rechne, erhalte ich meine zweite Zahl.

9 • Meine erste Zahl ist viermal kleiner als Marias zweite Zahl.

Zahlenrätsel

Drei Kinder haben sich je drei Zahlen aufgeschrieben.
Für die übrigen Kinder in der Klasse erfinden sie ein Rätsel, damit diese die Zahlen herausfinden können.

Wie lautet die Summe von Simons drei Zahlen? **48**

1. Zahl **25**
2. Zahl **36**
3. Zahl **12**

1. Zahl **30**
2. Zahl **50**
3. Zahl **8**

1. Zahl **9**
2. Zahl **24**
3. Zahl **15**

Maria

1 • Meine erste Zahl ist durch 5 teilbar. Sie ist größer als 20 und kleiner als 30.

4 • Meine dritte Zahl bekommst du, wenn du Simons dritte Zahl zuerst durch 5 teilst und dann das Vierfache ausrechnest.

8 • Davids dritte Zahl mal 4 gerechnet und noch die Hälfte seiner Zahl dazugezählt, ergibt meine zweite Zahl.

David

5 • Verdopple Marias dritte Zahl und zähle noch die Hälfte ihrer dritten Zahl dazu, um meine erste Zahl zu bekommen.

2 • Meine zweite Zahl ist doppelt so groß wie Marias erste Zahl.

7 • Meine dritte Zahl hat in Simons zweiter Zahl dreimal Platz.

Simon

3 • Meine dritte Zahl hat gleich viele Einer wie Davids zweite Zahl Zehner, aber einen Zehner mehr als seine Zahl Einer.

6 • Wenn ich Davids erste Zahl zuerst durch 5 teile und dann mal 4 rechne, erhalte ich meine zweite Zahl.

9 • Meine erste Zahl ist viermal kleiner als Marias zweite Zahl.

Piratenschätze

Die beiden Piraten Glasauge und Bandana-Joe betreten ihr Geheimversteck und betrachten stolz ihre Schätze.
Lies und male die Besitztümer der Piraten aus.
Benütze für jeden Piraten nur eine Farbe.

Wie viele Schatzkarten hat Bandana-Joe gestohlen? 

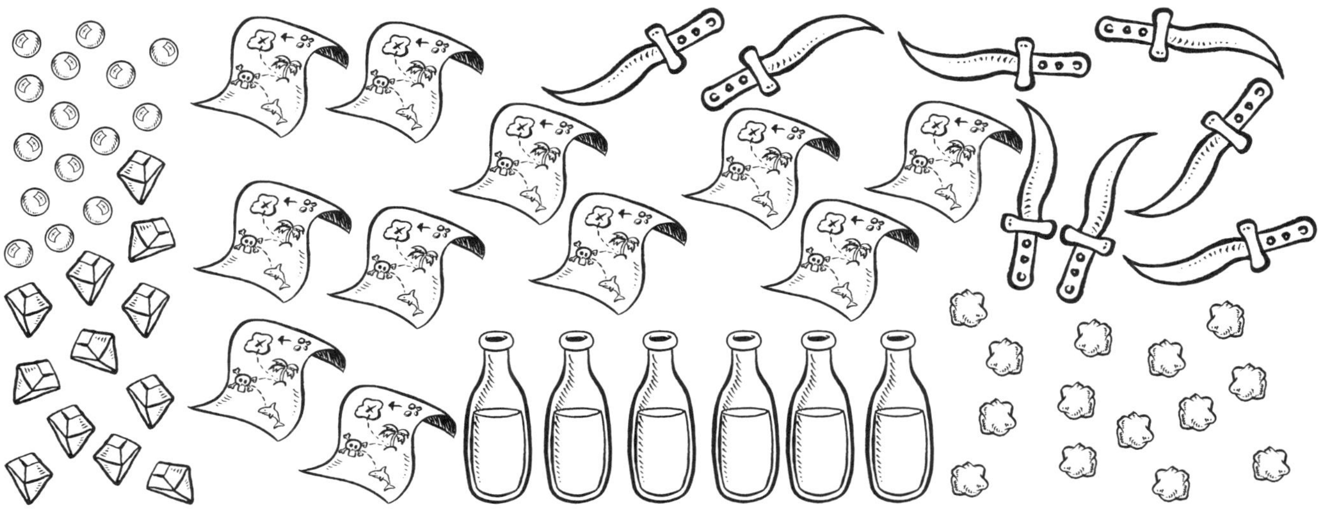

Bandana-Joe

3 • Goldstücke besitze ich 4 mehr als Rumflaschen.

1 • Von all diesen Edelsteinen gehören 7 mir.

5 • Ich habe halb so viele Messer wie Perlen.

Glasauge

4 • Meine Perlensammlung ist um 3 größer als die Zahl meiner Goldstücke.

6 • Jetzt besitze ich schon eine Schatzkarte mehr als Messer.

2 • Ich habe eine Rumflasche weniger als Edelsteine.

= Goldstück

= Perle

= Diamant

Piratenschätze

Die beiden Piraten Glasauge und Bandana-Joe betreten ihr Geheimversteck und betrachten stolz ihre Schätze.
Lies und male die Besitztümer der Piraten aus.
Benütze für jeden Piraten nur eine Farbe.

Wie viele Schatzkarten hat Bandana-Joe gestohlen? 

4

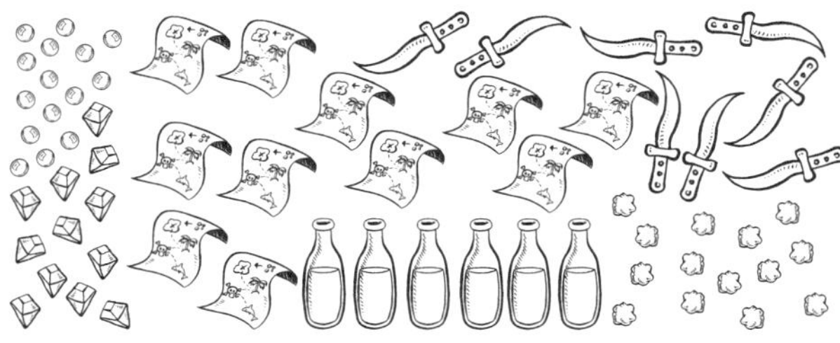

	Bandana-Joe	Glasauge
Perlen	4	11
Edelsteine	7	5
Rumflaschen	2	4
Goldstücke	6	8
Messer	2	6
Schatzkarten	4	7

Bandana-Joe

3 • Goldstücke besitze ich 4 mehr als Rumflaschen.

1 • Von all diesen Edelsteinen gehören 7 mir.

5 • Ich habe halb so viele Messer wie Perlen.

Glasauge

4 • Meine Perlensammlung ist um 3 größer als die Zahl meiner Goldstücke.

6 • Jetzt besitze ich schon eine Schatzkarte mehr als Messer.

2 • Ich habe eine Rumflasche weniger als Edelsteine.

= Goldstück

= Perle

= Diamant

Piraten auf Beutezug

Drei Piraten waren auf Beutezug. Ihre Schatzkisten sind nun gut gefüllt. Lies und beantworte folgende Frage:

Wie viele Perlen liegen bei Kapitän Hakenhand in der Schatztruhe? ☐

	Kapitän Holzbein	Kapitän Schwarzbart	Kapitän Hakenhand
Perlen			
Diamanten			
Goldstücke			
Silberstücke			

Kapitän Holzbein

12 • Wir haben zusammen 47 Perlen erbeutet.

3 • Ich erwischte heute doppelt so viele Goldstücke wie mein Rivale mit der Hakenhand.

7 • Von den Perlen habe ich halb so viele wie Schwarzbart Goldstücke.

9 • Heute gingen mir viermal mehr Silberstücke ins Netz als Diamanten.

Kapitän Schwarzbart

4 • Von Holzbeins Goldstücken habe ich den zehnten Teil an Diamanten erbeutet.

6 • In meiner Schatztruhe liegen dreimal so viele Goldstücke wie Diamanten bei Hakenhand.

1 • Ich habe heute 40 Silberstücke erwischt.

11 • Holzbeins Perlen von Hakenhands Silberstücken abgezogen, ergibt die Anzahl meiner Perlen.

Kapitän Hakenhand

2 • In meiner Beute befinden sich 15 Goldstücke weniger als Silberstücke bei Kapitän Schwarzbart.

5 • Ich habe heute doppelt so viele Diamanten gestohlen wie Schwarzbart.

8 • Alle zusammen haben wir heute 22 Diamanten erbeutet.

10 • Von den Silberstücken besitze ich mehr als Holzbein, aber es sind weniger als Schwarzbarts Beute an Goldstücken.

Piraten auf Beutezug

Lösungen

Drei Piraten waren auf Beutezug. Ihre Schatzkisten sind nun gut gefüllt. Lies und beantworte folgende Frage:

Wie viele Perlen liegen bei Kapitän Hakenhand in der Schatztruhe? **18**

	Kapitän Holzbein	Kapitän Schwarzbart	Kapitän Hakenhand
Perlen	**15**	**14**	**18**
Diamanten	**7**	**5**	**10**
Goldstücke	**50**	**30**	**25**
Silberstücke	**28**	**40**	**29**

Kapitän Holzbein

12 • Wir haben zusammen 47 Perlen erbeutet.

3 • Ich erwischte heute doppelt so viele Goldstücke wie mein Rivale mit der Hakenhand.

7 • Von den Perlen habe ich halb so viele wie Schwarzbart Goldstücke.

9 • Heute gingen mir viermal mehr Silberstücke ins Netz als Diamanten.

Kapitän Schwarzbart

4 • Von Holzbeins Goldstücken habe ich den zehnten Teil an Diamanten erbeutet.

6 • In meiner Schatztruhe liegen dreimal so viele Goldstücke wie Diamanten bei Hakenhand.

1 • Ich habe heute 40 Silberstücke erwischt.

11 • Holzbeins Perlen von Hakenhands Silberstücken abgezogen, ergibt die Anzahl meiner Perlen.

Kapitän Hakenhand

2 • In meiner Beute befinden sich 15 Goldstücke weniger als Silberstücke bei Kapitän Schwarzbart.

5 • Ich habe heute doppelt so viele Diamanten gestohlen wie Schwarzbart.

8 • Alle zusammen haben wir heute 22 Diamanten erbeutet.

10 • Von den Silberstücken besitze ich mehr als Holzbein, aber es sind weniger als Schwarzbarts Beute an Goldstücken.

Gemüse vom Bauernhof

Jan macht alles für die heutige Auslieferung bereit. Er überprüft die Bestelllisten der Fahrer und vergleicht sie mit den bereitgestellten Kisten.

Wie viele Kisten stehen insgesamt für Thomas bereit?

	Franz	Thomas	Karl
Kartoffeln			
Zwiebeln			
Bohnen			

3 • Thomas hat 4 Kisten Zwiebeln mehr auf seiner Liste als Karl Kartoffeln.
8 • Thomas benötigt gleich viele Kisten Kartoffeln wie Franz Zwiebeln.
2 • Karl muss gleich viele Kisten Kartoffeln einladen wie Franz Bohnen.
6 • Die Zwiebeln für Karl und die Bohnen für Thomas sind in 11 Kisten.
4 • Hier steht eine Kiste Kartoffeln weniger für Franz als Zwiebeln für Thomas und nochmals eine Kiste weniger Bohnen für Karl.
1 • Für Franz stehen 8 Kisten Bohnen bereit.
5 • 23 Kisten Bohnen stehen bereit.
7 • Von den Zwiebeln stehen nur 24 Kisten bereit, da muss ich noch eine holen.

Gemüse vom Bauernhof

Lösungen

Jan macht alles für die heutige Auslieferung bereit. Er überprüft die Bestelllisten der Fahrer und vergleicht sie mit den bereitgestellten Kisten.

Wie viele Kisten stehen insgesamt für Thomas bereit? **24**

	Franz	Thomas	Karl
Kartoffeln	**11**	**7**	**8**
Zwiebeln	**7**	**12**	**6**
Bohnen	**8**	**5**	**10**

3 • Thomas hat 4 Kisten Zwiebeln mehr auf seiner Liste als Karl Kartoffeln.
8 • Thomas benötigt gleich viele Kisten Kartoffeln wie Franz Zwiebeln.
2 • Karl muss gleich viele Kisten Kartoffeln einladen wie Franz Bohnen.
6 • Die Zwiebeln für Karl und die Bohnen für Thomas sind in 11 Kisten.
4 • Hier steht eine Kiste Kartoffeln weniger für Franz als Zwiebeln für Thomas und nochmals eine Kiste weniger Bohnen für Karl.
1 • Für Franz stehen 8 Kisten Bohnen bereit.
5 • 23 Kisten Bohnen stehen bereit.
7 • Von den Zwiebeln stehen nur 24 Kisten bereit, da muss ich noch eine holen.

Herbstlieferung

Peter ist ein zuverlässiger Lastwagenfahrer. Heute jedoch ist er ziemlich verzweifelt. Sein Chef gibt ihm nämlich sehr komplizierte Anweisungen.
Hilf Peter herauszufinden, was er wohin bringen soll, und beantworte folgende Frage:

Wie viele Kisten Nüsse muss Peter in Hinterbrück abliefern? ☐

	Vorderbrück	Hinterbrück	Westbrück	Ostbrück
Nüsse				
Äpfel				
Birnen				

4 • Der Händler in Ostbrück hat 5 Kisten Nüsse weniger bestellt als der Händler in Westbrück Birnen.
11 • Nach Vorderbrück bringst du halb so viele Kisten Birnen wie nach Ostbrück.
7 • Nach Westbrück gehen halb so viele Kisten Nüsse wie Äpfel nach Ostbrück.
9 • Nach Vorderbrück und Westbrück zusammen gehen gleich viele Kisten Äpfel wie nach Hinterbrück alleine.
2 • Nach Vorderbrück bringst du halb so viele Kisten von den Nüssen wie von den Birnen nach Hinterbrück.
12 • Und vergiss nicht, dass du im Ganzen 25 Kisten Nüsse aufladen musst!
5 • Bring doppelt so viele Kisten Äpfel nach Hinterbrück wie Nüsse nach Ostbrück.
10 • In Ostbrück musst du viermal so viele Kisten Birnen abliefern wie Äpfel in Vorderbrück.
3 • In Westbrück werden dreimal so viele Kisten Birnen erwartet wie Nüsse in Vorderbrück.
6 • Nach Ostbrück gehen 8 Kisten Äpfel weniger als nach Hinterbrück.
8 • Nach Westbrück gehen dreimal so viele Kisten Äpfel wie Nüsse.
1 • Du bringst heute 8 Kisten Birnen nach Hinterbrück.

Herbstlieferung

Peter ist ein zuverlässiger Lastwagenfahrer. Heute jedoch ist er ziemlich verzweifelt. Sein Chef gibt ihm nämlich sehr komplizierte Anweisungen.
Hilf Peter herauszufinden, was er wohin bringen soll, und beantworte folgende Frage:

Wie viele Kisten Nüsse muss Peter in Hinterbrück abliefern? **11**

	Vorderbrück	Hinterbrück	Westbrück	Ostbrück
Nüsse	**4**	**11**	**3**	**7**
Äpfel	**5**	**14**	**9**	**6**
Birnen	**10**	**8**	**12**	**20**

4 • Der Händler in Ostbrück hat 5 Kisten Nüsse weniger bestellt als der Händler in Westbrück Birnen.
11 • Nach Vorderbrück bringst du halb so viele Kisten Birnen wie nach Ostbrück.
7 • Nach Westbrück gehen halb so viele Kisten Nüsse wie Äpfel nach Ostbrück.
9 • Nach Vorderbrück und Westbrück zusammen gehen gleich viele Kisten Äpfel wie nach Hinterbrück alleine.
2 • Nach Vorderbrück bringst du halb so viele Kisten von den Nüssen wie von den Birnen nach Hinterbrück.
12 • Und vergiss nicht, dass du im Ganzen 25 Kisten Nüsse aufladen musst!
5 • Bring doppelt so viele Kisten Äpfel nach Hinterbrück wie Nüsse nach Ostbrück.
10 • In Ostbrück musst du viermal so viele Kisten Birnen abliefern wie Äpfel in Vorderbrück.
3 • In Westbrück werden dreimal so viele Kisten Birnen erwartet wie Nüsse in Vorderbrück.
6 • Nach Ostbrück gehen 8 Kisten Äpfel weniger als nach Hinterbrück.
8 • Nach Westbrück gehen dreimal so viele Kisten Äpfel wie Nüsse.
1 • Du bringst heute 8 Kisten Birnen nach Hinterbrück.

In der Stadt

Der Bürgermeister einer Stadt mit vielen Einwohnern bekommt eine Liste mit verschiedenen öffentlichen Gebäuden von drei Stadtbezirken. Im Süden der Stadt stehen nur Fabriken. Lies und finde heraus:

Wie viele Schulhäuser stehen in dieser Stadt? ☐

	Stadtbezirk West	Stadtbezirk Nord	Stadtbezirk Ost
Schulhäuser			
Restaurants			
Kinos			

7 • Im Westen stehen doppelt so viele Kinos wie im Norden.
5 • Wir haben 4 Kinos weniger im Osten als Restaurants im Westen.
2 • Im Osten der Stadt haben wir 5 Restaurants mehr als Schulhäuser im Westen.
6 • Im Norden stehen 3 Kinos weniger als im Osten.
1 • Im Stadtbezirk West hatten wir früher 9 Schulhäuser. Heute gibt es 3 weniger.
3 • Es gibt 5 Restaurants mehr im Stadtbezirk Nord als im Stadtbezirk Ost.
8 • Wir haben im Stadtbezirk Nord 3 Schulhäuser mehr als im Osten und im Osten gleich viele Schulhäuser wie Kinos im Westen.
4 • Im Ganzen stehen in den 3 Bezirken 36 Restaurants.
9 • Im Süden der Stadt befinden sich das Industriequartier. Dort stehen nur Fabriken.

In der Stadt

Lösungen

Der Bürgermeister einer Stadt mit vielen Einwohnern bekommt eine Liste mit verschiedenen öffentlichen Gebäuden von drei Stadtbezirken. Im Süden der Stadt stehen nur Fabriken. Lies und finde heraus:

Wie viele Schulhäuser stehen in dieser Stadt? **17**

	Stadtbezirk West	Stadtbezirk Nord	Stadtbezirk Ost
Schulhäuser	**6**	**7**	**4**
Restaurants	**9**	**16**	**11**
Kinos	**4**	**2**	**5**

7 • Im Westen stehen doppelt so viele Kinos wie im Norden.
5 • Wir haben 4 Kinos weniger im Osten als Restaurants im Westen.
2 • Im Osten der Stadt haben wir 5 Restaurants mehr als Schulhäuser im Westen.
6 • Im Norden stehen 3 Kinos weniger als im Osten.
1 • Im Stadtbezirk West hatten wir früher 9 Schulhäuser. Heute gibt es 3 weniger.
3 • Es gibt 5 Restaurants mehr im Stadtbezirk Nord als im Stadtbezirk Ost.
8 • Wir haben im Stadtbezirk Nord 3 Schulhäuser mehr als im Osten und im Osten gleich viele Schulhäuser wie Kinos im Westen.
4 • Im Ganzen stehen in den 3 Bezirken 36 Restaurants.
9 • Im Süden der Stadt befinden sich das Industriequartier. Dort stehen nur Fabriken.

Auf dem Land

Drei Kinder leben auf dem Land. Sie erzählen dir einiges über die Anzahl der Häuser in ihren Dörfern. Lies und beantworte die Frage:

Wie viele Geschäfte gibt es in Hinterbrück? ☐

	Mario in Vorderbrück	Selina in Mittelbrück	Lukas in Hinterbrück
Geschäfte			
Wohnblöcke			
Einfamilienhäuser			
Bauernhöfe			

Mario

1 • In unserem Dorf haben wir 3 Dutzend Wohnblöcke.

4 • Bauernhöfe gibt es bei uns halb so viele wie Einfamilienhäuser in Mittelbrück.

9 • Wir haben gleich viele Einfamilienhäuser hier wie die Leute von Mittelbrück Wohnblöcke und Einfamilienhäuser zusammen.

12 • In unseren Dörfern gibt es insgesamt 23 Geschäfte.

Selina

3 • Hier stehen 8 Einfamilienhäuser mehr als in Hinterbrück.

6 • Unsere 3 Dörfer haben zusammen 95 Bauernhöfe.

8 • In Vorderbrück gibt es gleich viele Wohnblöcke wie in unserem Dorf und in Hinterbrück zusammen.

11 • Wir haben hier halb so viele Geschäfte wie die Leute in Vorderbrück.

Lukas

2 • Es gibt doppelt so viele Einfamilienhäuser in unserem Dorf wie Wohnblöcke in Vorderbrück.

5 • In Vorderbrück stehen 10 Bauernhöfe mehr als hier.

7 • Hier stehen 5 Wohnblöcke weniger als Bauernhöfe in Mittelbrück.

10 • Die Anzahl unserer Bauernhöfe ist gleich groß wie die Summe der Bauernhöfe und Geschäfte von Mittelbrück.

Auf dem Land

Lösungen

Drei Kinder leben auf dem Land. Sie erzählen dir einiges über die Anzahl der Häuser in ihren Dörfern. Lies und beantworte die Frage:

Wie viele Geschäfte gibt es in Hinterbrück? **8**

	Mario in Vorderbrück	Selina in Mittelbrück	Lukas in Hinterbrück
Geschäfte	**10**	**5**	**8**
Wohnblöcke	**36**	**16**	**20**
Einfamilienhäuser	**96**	**80**	**72**
Bauernhöfe	**40**	**25**	**30**

Mario

1 • In unserem Dorf haben wir 3 Dutzend Wohnblöcke.

4 • Bauernhöfe gibt es bei uns halb so viele wie Einfamilienhäuser in Mittelbrück.

9 • Wir haben gleich viele Einfamilienhäuser hier wie die Leute von Mittelbrück Wohnblöcke und Einfamilienhäuser zusammen.

12 • In unseren Dörfern gibt es insgesamt 23 Geschäfte.

Selina

3 • Hier stehen 8 Einfamilienhäuser mehr als in Hinterbrück.

6 • Unsere 3 Dörfer haben zusammen 95 Bauernhöfe.

8 • In Vorderbrück gibt es gleich viele Wohnblöcke wie in unserem Dorf und in Hinterbrück zusammen.

11 • Wir haben hier halb so viele Geschäfte wie die Leute in Vorderbrück.

Lukas

2 • Es gibt doppelt so viele Einfamilienhäuser in unserem Dorf wie Wohnblöcke in Vorderbrück.

5 • In Vorderbrück stehen 10 Bauernhöfe mehr als hier.

7 • Hier stehen 5 Wohnblöcke weniger als Bauernhöfe in Mittelbrück.

10 • Die Anzahl unserer Bauernhöfe ist gleich groß wie die Summe der Bauernhöfe und Geschäfte von Mittelbrück.

Vier Geschwister

Eine Mutter erzählt von ihren vier Kindern.
Lies und finde heraus, wie alt die Kinder sind, wie viele Meter und Zentimeter sie messen und wie schwer sie sind.

	Sarah	Fabienne	Benedikt	Marius
Alter	15			

Benedikt ist 7 Jahre jünger als Sarah.
Marius ist 3 Jahre älter als Benedikt.
Fabienne ist 5 Jahre jünger als Marius.

	Sarah	Fabienne	Benedikt	Marius
Größe				1 m 45 cm

Benedikt ist 20 cm kleiner als Marius.
Fabienne ist einen halben Meter kleiner als Sarah.
Sarah ist 38 cm größer als Benedikt.

	Sarah	Fabienne	Benedikt	Marius
Gewicht		24 kg		

Sarah ist 19 kg schwerer als Marius.
Benedikt ist 23 kg leichter als Sarah.
Marius ist 11 kg schwerer als Fabienne.

Vier Geschwister

Eine Mutter erzählt von ihren vier Kindern.
Lies und finde heraus, wie alt die Kinder sind, wie viele Meter und Zentimeter sie messen und wie schwer sie sind.

	Sarah	Fabienne	Benedikt	Marius
Alter	15	**6**	**8**	**11**

Benedikt ist 7 Jahre jünger als Sarah.
Marius ist 3 Jahre älter als Benedikt.
Fabienne ist 5 Jahre jünger als Marius.

	Sarah	Fabienne	Benedikt	Marius
Größe	**1 m 63 cm**	**1 m 13 cm**	**1 m 25 cm**	1 m 45 cm

Benedikt ist 20 cm kleiner als Marius.
Fabienne ist einen halben Meter kleiner als Sarah.
Sarah ist 38 cm größer als Benedikt.

	Sarah	Fabienne	Benedikt	Marius
Gewicht	**54 kg**	24 kg	**31 kg**	**35 kg**

Sarah ist 19 kg schwerer als Marius.
Benedikt ist 23 kg leichter als Sarah.
Marius ist 11 kg schwerer als Fabienne.

Beim Schularzt

Vier Kinder wurden vom Schularzt gemessen und gewogen.
Jetzt vergleichen sie ihre Ergebnisse.
Lies und finde heraus:

Wie alt sind die Kinder zusammen?

	Sarah	Martina	Lars	Ralf
Gewicht				
Größe				
Alter				

Sarah

8 • Ich bin 26 cm größer als Lars.

1 • In 8 Jahren bin ich 20 Jahre alt.

10 • Wenn ich noch 12 kg zunehme, bin ich halb so schwer, wie Martina groß ist.

Martina

3 • Lars ist ein Jahr älter als ich.

6 • Wenn ich noch 40 cm wachse, bin ich gleich groß wie meine Mutter.

5 • Meine Mutter misst 1 m 60 cm.

13 • Ich bin 10 kg leichter als Ralf.

Lars

11 • Sarah ist 13 kg schwerer als ich.

7 • Ich bin 12 cm größer als Martina.

2 • Ich bin 3 Jahre jünger als Sarah.

Ralf

4 • In 14 Jahren bin ich doppelt so alt wie Sarah jetzt ist.

12 • Ich bin 3 kg schwerer als Lars.

9 • Wenn ich noch 16 cm wachse, bin ich gleich groß wie Sarah jetzt ist.

Beim Schularzt

Vier Kinder wurden vom Schularzt gemessen und gewogen.
Jetzt vergleichen sie ihre Ergebnisse.
Lies und finde heraus:

Wie alt sind die Kinder zusammen? **39 Jahre**

	Sarah	Martina	Lars	Ralf
Gewicht	**48 kg**	**28 kg**	**35 kg**	**38 kg**
Größe	**1 m 58 cm**	**1 m 20 cm**	**1 m 32 cm**	**1 m 42 cm**
Alter	**12**	**8**	**9**	**10**

Sarah

8 • Ich bin 26 cm größer als Lars.

1 • In 8 Jahren bin ich 20 Jahre alt.

10 • Wenn ich noch 12 kg zunehme, bin ich halb so schwer, wie Martina groß ist.

Martina

3 • Lars ist ein Jahr älter als ich.

6 • Wenn ich noch 40 cm wachse, bin ich gleich groß wie meine Mutter.

5 • Meine Mutter misst 1 m 60 cm.

13 • Ich bin 10 kg leichter als Ralf.

Lars

11 • Sarah ist 13 kg schwerer als ich.

7 • Ich bin 12 cm größer als Martina.

2 • Ich bin 3 Jahre jünger als Sarah.

Ralf

4 • In 14 Jahren bin ich doppelt so alt wie Sarah jetzt ist.

12 • Ich bin 3 kg schwerer als Lars.

9 • Wenn ich noch 16 cm wachse, bin ich gleich groß wie Sarah jetzt ist.

Des Menschen bester Freund

Katrin hat sich mit dem Thema Hund beschäftigt und stellt der Klasse ihre Ergebnisse vor.

Wie viel kleiner ist der Mops als der Schäferhund?

5 • Der arbeitseifrige **Border Collie** ist ausgewachsen 14 cm größer als der Fox Terrier.

1 • Der kinderliebe **Mops** erreicht eine Größe von 4 mal 8 cm.

7 • Der familienfreundliche **Zwergschnauzer** wächst um 45 cm weniger als die Deutsche Dogge.

3 • Der temperamentvolle **Dalmatiner** wird 16 cm größer als der Großpudel.

2 • Der verspielte **Großpudel** wird 13 cm größer als der Mops.

8 • Der zuverlässige **Deutsche Schäferhund** wird 27,5 cm größer als der Zwergschnauzer.

4 • Der fröhliche **Fox Terrier** erreicht eine Größe, die um 22 cm kleiner ist als die des Dalmatiners.

6 • Der gütige **Deutsche Dogge** Rüde eignet sich mit seiner Größe nicht für eine kleine Wohnung. Er wird 27 cm größer als der Border Collie.

Des Menschen bester Freund

Katrin hat sich mit dem Thema Hund beschäftigt und stellt der Klasse ihre Ergebnisse vor.

Wie viel kleiner ist der Mops als der Schäferhund? **30 cm 5 mm**

5 • Der arbeitseifrige **Border Collie** ist ausgewachsen 14 cm größer als der Fox Terrier.

53 cm

1 • Der kinderliebe **Mops** erreicht eine Größe von 4 mal 8 cm.

32 cm

7 • Der familienfreundliche **Zwerg-schnauzer** wächst um 45 cm weniger als die Deutsche Dogge.

35 cm

3 • Der temperamentvolle **Dalmatiner** wird 16 cm größer als der Großpudel.

61 cm

2 • Der verspielte **Großpudel** wird 13 cm größer als der Mops.

45 cm

8 • Der zuverlässige **Deutsche Schäferhund** wird 27,5 cm größer als der Zwergschnauzer.

62 cm 5 mm

4 • Der fröhliche **Fox Terrier** erreicht eine Größe, die um 22 cm kleiner ist als die des Dalmatiners.

39 cm

6 • Der gütige **Deutsche Dogge** Rüde eignet sich mit seiner Größe nicht für eine kleine Wohnung. Er wird 27 cm größer als der Border Collie.

80 cm

Das Glück der Erde...

... liegt auf dem Rücken der Pferde. Aber wie hoch oben ist das? Peter hat 16 Pferderassen miteinander verglichen und stellt die Ergebnisse seiner Klasse vor.
Die Schulterhöhe des Pferdes nennt man in der Fachsprache Widerrist.
Wie viele Zentimeter beträgt der Unterschied zwischen Peter und dem Widerrist des Arabischen Vollblutes? ☐

15 • Der grazile **Hannoveraner** ist 17 cm kleiner als das Shire Horse.
________ cm

11 • Beim **Friesen** musst du den Sattel um 17 cm höher heben als beim Paso Fino.
________ cm

9 • 18 cm ist der **Percheron** größer als der Berber.
________ cm

2 • Der Widerrist des **Trakehners** ist 10 cm höher als der des Lipizzaners.
________ cm

4 • Der schöne **Shagya Araber** erreicht eine Schulterhöhe, die 25 cm höher ist als die des Island Ponys.
________ cm

10 • Der **Paso Fino** ist um 24 cm kleiner als der Percheron. ________ cm

5 • Das **deutsche Reitpony** ist 24 cm kleiner als der Shagya Araber.
________ cm

1 • Ich bin im Moment 140 cm groß. Der **Lipizzaner** ist 15 cm größer als ich.
________ cm

12 • Das **Connemara Pony** hat seine Schulterhöhe 19 cm tiefer als der Friese.
________ cm

16 • Das **Arabische Vollblut** wird 18 cm weniger groß als der Hannoveraner.
________ cm

13 • Der **Lusitano** ist 14 cm größer als das Connemara Pony.
________ cm

3 • Das **Island Pferd** wird 30 cm weniger groß als der Trakehner.
________ cm

7 • Das **Shetland Pony** ist 46 cm kleiner als der Haflinger.
________ cm

8 • Der **Berber** wird 55 cm größer als das Shetland Pony.
________ cm

6 • Verglichen mit dem deutschen Reitpony ist der **Haflinger** 7 cm größer.
________ cm

14 • Das größte Pferd in meiner Liste ist das **Shire Horse**. Es ist 27 cm größer als der Lusitano.
________ cm

Das Glück der Erde... **Lösungen**

... liegt auf dem Rücken der Pferde. Aber wie hoch oben ist das? Peter hat 16 Pferderassen miteinander verglichen und stellt die Ergebnisse seiner Klasse vor.
Die Schulterhöhe des Pferdes nennt man in der Fachsprache Widerrist.
Wie viele Zentimeter beträgt der Unterschied zwischen Peter und dem Widerrist des Arabischen Vollblutes? **10 cm**

15 • Der grazile **Hannoveraner** ist 17 cm kleiner als das Shire Horse.
168 cm

11 • Beim **Friesen** musst du den Sattel um 17 cm höher heben als beim Paso Fino.
163 cm

9 • 18 cm ist der **Percheron** größer als der Berber.
170 cm

2 • Der Widerrist des **Trakehners** ist 10 cm höher als der des Lipizzaners.
165 cm

4 • Der schöne **Shagya Araber** erreicht eine Schulterhöhe, die 25 cm höher ist als die des Island Ponys.
160 cm

10 • Der **Paso Fino** ist um 24 cm kleiner als der Percheron. **146** cm

5 • Das **deutsche Reitpony** ist 24 cm kleiner als der Shagya Araber.
136 cm

1 • Ich bin im Moment 140 cm groß. Der **Lipizzaner** ist 15 cm größer als ich.
155 cm

12 • Das **Connemara Pony** hat seine Schulterhöhe 19 cm tiefer als der Friese.
144 cm

16 • Das **Arabische Vollblut** wird 18 cm weniger groß als der Hannoveraner.
150 cm

13 • Der **Lusitano** ist 14 cm größer als das Connemara Pony.
158 cm

3 • Das **Island Pferd** wird 30 cm weniger groß als der Trakehner.
135 cm

7 • Das **Shetland Pony** ist 46 cm kleiner als der Haflinger.
97 cm

8 • Der **Berber** wird 55 cm größer als das Shetland Pony.
152 cm

6 • Verglichen mit dem deutschen Reitpony ist der **Haflinger** 7 cm größer.
143 cm

14 • Das größte Pferd in meiner Liste ist das **Shire Horse**. Es ist 27 cm größer als der Lusitano.
185 cm

Kaninchenausstellung

An einer Kaninchenausstellung werden die Kaninchen gewogen.
Lies und schreibe auf, wie schwer sie sind.

Wie viel schwerer ist Hoppel als Beedy? ☐

Lohkaninchen	Angorakaninchen	Deutscher Widder
☐	☐	☐
Roxy	**Velvet**	**Hoppel**
Hermelinkaninchen		Widderzwerg
☐		☐
Romeo		**Beedy**

4 • Romeo, ein bildschöner Hermelinbock, ist 1 kg 400 g leichter als Roxy.
1 • Der hübsche Widderzwerg Beedy wiegt 2 kg.
3 • Das Lohkaninchen Roxy bringt 1 kg 750 g weniger auf die Waage als Velvet.
2 • Velvet, die Angora-Zibbe, ist 2500 g schwerer als Beedy.
5 • Der Deutsche Widder Hoppel wiegt 4650 g mehr als Romeo.

Kaninchenausstellung

An einer Kaninchenausstellung werden die Kaninchen gewogen.
Lies und schreibe auf, wie schwer sie sind.

Wie viel schwerer ist Hoppel als Beedy? **4 kg**

Lohkaninchen	Angorakaninchen	Deutscher Widder
2 kg 750 g	**4 kg 500 g**	**6 kg**
Roxy	**Velvet**	**Hoppel**
Hermelinkaninchen		Widderzwerg
1 kg 350 g		**2 kg**
Romeo		**Beedy**

4 • Romeo, ein bildschöner Hermelinbock, ist 1 kg 400 g leichter als Roxy.
1 • Der hübsche Widderzwerg Beedy wiegt 2 kg.
3 • Das Lohkaninchen Roxy bringt 1 kg 750 g weniger auf die Waage als Velvet.
2 • Velvet, die Angora-Zibbe, ist 2500 g schwerer als Beedy.
5 • Der Deutsche Widder Hoppel wiegt 4650 g mehr als Romeo.

Kaninchen ist nicht gleich Kaninchen

Lies und berechne das Gewicht der folgenden Rassekaninchen.

Wie schwer ist das Lohkaninchen, wenn es 1 kg 750 g leichter ist als das Angorakaninchen? ☐

Angorakaninchen	Satin Blau	Rex Kaninchen
☐	☐	☐
Großchinchilla	Hermelinkaninchen	Hasenkaninchen
☐	☐	☐
Sachsengold		Lohkaninchen
☐		☐

2 • Das Satin Blau bringt 1500 g weniger auf die Waage als das Großchinchilla.
4 • Das Rex Kaninchen ist 1000 g leichter als das Hasenkaninchen.
6 • Das Sachsengold ist 2400 g schwerer als das Hermelinkaninchen.
1 • Das seidenweiche Großchinchilla wiegt 5 kg 500 g.
5 • Das kleine Hermelinkaninchen ist 1 kg 150 g leichter als das Rex Kaninchen.
3 • Das Hasenkaninchen ist 500 g leichter als das Satin Blau.
7 • Das Angorakaninchen ist 750 g schwerer als das Sachsengold.

Kaninchen oder Hase? Die zwei wichtigsten Unterschiede:

Kaninchen:	**Hasen:**
– nackte, blinde Jungen	– behaarte und sehende Jungen (Nestflüchter)
– graben sich Höhlen	– schlafen in Senken, sogenannten Sassen

Kaninchen ist nicht gleich Kaninchen

Lösungen

Lies und berechne das Gewicht der folgenden Rassekaninchen.

Wie schwer ist das Lohkaninchen, wenn es 1 kg 750 g leichter ist als das Angorakaninchen? **2 kg 750 g**

Angorakaninchen	Satin Blau	Rex Kaninchen
4 kg 500 g	**4 kg**	**2 kg 500 g**
Großchinchilla	Hermelinkaninchen	Hasenkaninchen
5 kg 500 g	**1 kg 350 g**	**3 kg 500 g**
Sachsengold		Lohkaninchen
3 kg 750 g		**2 kg 750 g**

2 • Das Satin Blau bringt 1500 g weniger auf die Waage als das Großchinchilla.
4 • Das Rex Kaninchen ist 1000 g leichter als das Hasenkaninchen.
6 • Das Sachsengold ist 2400 g schwerer als das Hermelinkaninchen.
1 • Das seidenweiche Großchinchilla wiegt 5 kg 500 g.
5 • Das kleine Hermelinkaninchen ist 1 kg150 g leichter als das Rex Kaninchen.
3 • Das Hasenkaninchen ist 500 g leichter als das Satin Blau.
7 • Das Angorakaninchen ist 750 g schwerer als das Sachsengold.

Kaninchen oder Hase? Die zwei wichtigsten Unterschiede:

Kaninchen:
– nackte, blinde Jungen
– graben sich Höhlen

Hasen:
– behaarte und sehende Jungen (Nestflüchter)
– schlafen in Senken, sogenannten Sassen

Meine Familie

Drei zehnjährige Kinder stellen in der Klasse ihre Familien vor. Sie denken sich Rätsel aus, um den Mitschülern zu sagen, wie alt die Familienmitglieder sind.
Lies und beantworte die Frage:

Wie alt ist Levins Bruder?

	Levin	Sandra	Manuel
Bruder			
Schwester			
Vater			
Mutter			

Levin

11 • Mein Bruder ist dreimal so alt wie Sandras Schwester.

1 • Als ich auf die Welt kam, war meine Mutter 26 Jahre alt.

7 • Mein Vater und Sandras Mutter sind zusammen 75 Jahre alt.

5 • Manuels Bruder ist 7 Jahre älter als meine Schwester.

Sandra

3 • Mein Bruder ist 6 Jahre jünger als ich.

6 • Meine Mutter ist so alt wie Levins Schwester und Manuels Bruder zusammen.

9 • Mein Vater ist 16 Jahre jünger als Manuels Vater und 19 Jahre älter als Manuels Schwester.

Manuel

8 • Mein Vater ist 9 Jahre älter als Levins Vater.

4 • Sandras Bruder ist 16 Jahre jünger als mein Bruder.

10 • Als Sandras Schwester auf die Welt kam, war meine Schwester schon 14 Jahre alt.

2 • Meine Mutter ist 14 Jahre älter als Levins Mutter.

Meine Familie

Lösungen

Drei zehnjährige Kinder stellen in der Klasse ihre Familien vor. Sie denken sich Rätsel aus, um den Mitschülern zu sagen, wie alt die Familienmitglieder sind. Lies und beantworte die Frage:

Wie alt ist Levins Bruder? **6 Jahre**

	Levin	Sandra	Manuel
Bruder	**6**	**4**	**20**
Schwester	**13**	**2**	**16**
Vater	**42**	**35**	**51**
Mutter	**36**	**33**	**50**

Levin

11 • Mein Bruder ist dreimal so alt wie Sandras Schwester.

1 • Als ich auf die Welt kam, war meine Mutter 26 Jahre alt.

7 • Mein Vater und Sandras Mutter sind zusammen 75 Jahre alt.

5 • Manuels Bruder ist 7 Jahre älter als meine Schwester.

Sandra

3 • Mein Bruder ist 6 Jahre jünger als ich.

6 • Meine Mutter ist so alt wie Levins Schwester und Manuels Bruder zusammen.

9 • Mein Vater ist 16 Jahre jünger als Manuels Vater und 19 Jahre älter als Manuels Schwester.

Manuel

8 • Mein Vater ist 9 Jahre älter als Levins Vater.

4 • Sandras Bruder ist 16 Jahre jünger als mein Bruder.

10 • Als Sandras Schwester auf die Welt kam, war meine Schwester schon 14 Jahre alt.

2 • Meine Mutter ist 14 Jahre älter als Levins Mutter.

Familienstammbaum

Martina stellt dir ihre Familie vor. Schreibe die Altersangaben zu den entsprechenden Namen.

12 • Opa Alfred war 32 Jahre alt, als meine Tante Barbara auf die Welt kam.
8 • Mein Cousin Marius ist 20 Jahre jünger als mein Onkel Patrick.
1 • In 13 Jahren bin ich 20 Jahre alt.
5 • Als meine Mutter Daniela meinen Bruder bekam, war sie ein Jahr älter als Heidi bei der Geburt von Andreas.
3 • Als Onkel Andreas auf die Welt kam, war meine Oma Heidi 26 Jahre alt.
7 • Mein Onkel Patrick ist dreimal so alt wie meine Schwester Franziska.
10 • Mein Vater Peter ist 25 Jahre jünger als mein Opa Otto.
2 • Mein Onkel Andreas ist siebenmal älter als ich.
13 • Der Altersunterschied von meiner Tante Barbara und meiner Oma Anna beträgt 22 Jahre.
6 • Meine Schwester ist 29 Jahre jünger als meine Mutter.
4 • Oma Heidi ist fünfmal älter als mein Bruder Tobias.
9 • Marius, Franziska und Patrick sind zusammen gleich alt wie mein Opa Otto.
11 • Mein Opa Alfred ist 33 Jahre älter als mein Vater.

Wie viel älter ist meine Oma Anna als ich? ☐

Familienstammbaum

Martina stellt dir ihre Familie vor. Schreibe die Altersangaben zu den entsprechenden Namen.

12 • Opa Alfred war 32 Jahre alt, als meine Tante Barbara auf die Welt kam.
8 • Mein Cousin Marius ist 20 Jahre jünger als mein Onkel Patrick.
1 • In 13 Jahren bin ich 20 Jahre alt.
5 • Als meine Mutter Daniela meinen Bruder bekam, war sie ein Jahr älter als Heidi bei der Geburt von Andreas.
3 • Als Onkel Andreas auf die Welt kam, war meine Oma Heidi 26 Jahre alt.
7 • Mein Onkel Patrick ist dreimal so alt wie meine Schwester Franziska.
10 • Mein Vater Peter ist 25 Jahre jünger als mein Opa Otto.
2 • Mein Onkel Andreas ist siebenmal älter als ich.
13 • Der Altersunterschied von meiner Tante Barbara und meiner Oma Anna beträgt 22 Jahre.
6 • Meine Schwester ist 29 Jahre jünger als meine Mutter.
4 • Oma Heidi ist fünfmal älter als mein Bruder Tobias.
9 • Marius, Franziska und Patrick sind zusammen gleich alt wie mein Opa Otto.
11 • Mein Opa Alfred ist 33 Jahre älter als mein Vater.

Wie viel älter ist meine Oma Anna als ich? | **62 Jahre** |

Tragzeiten

Anhand der Hinweise unten findest du heraus, wie lange es von der Befruchtung bis zur Geburt bei diesen Tieren dauert. Diese Zeitspanne nennt man Tragzeit. Beim Menschen nennt man sie Schwangerschaft.

Wie lang ist die Tragzeit des Pumaweibchens, wenn die Tragzeit 25 Tage länger ist als die der Waschbärin?

Gepard	Braunbär	Koala

Hamster	Waschbär	Puma

2 • Die Jungen von Geparden bleiben 39 Tage länger im Bauch der Mutter als die Bärenbabys.

4 • Die Tragzeit des Goldhamsters ist 19 Tage kürzer als die Tragzeit des Koalabärs.

1 • Die Braunbärin ist während 8 Wochen trächtig.

5 • Bis die Waschbärenbabys geboren werden, bleiben sie 49 Tage länger im Bauch der Mutter als die Goldhamsterkinder.

3 • Bei den Koalas erfolgt die Geburt bereits 60 Tage früher als bei den Geparden. Die Jungen wachsen dann während sieben Monaten im Beutel der Mutter auf.

Tragzeiten

Anhand der Hinweise unten findest du heraus, wie lange es von der Befruchtung bis zur Geburt bei diesen Tieren dauert. Diese Zeitspanne nennt man Tragzeit. Beim Menschen nennt man sie Schwangerschaft.

Wie lang ist die Tragzeit des Pumaweibchens, wenn die Tragzeit 25 Tage länger ist als die der Waschbärin? **90 Tage *oder* 12 Wochen 2 Tage**

2 • Die Jungen von Geparden bleiben 39 Tage länger im Bauch der Mutter als die Bärenbabys.

4 • Die Tragzeit des Goldhamsters ist 19 Tage kürzer als die Tragzeit des Koalabärs.

1 • Die Braunbärin ist während 8 Wochen trächtig.

5 • Bis die Waschbärenbabys geboren werden, bleiben sie 49 Tage länger im Bauch der Mutter als die Goldhamsterkinder.

3 • Bei den Koalas erfolgt die Geburt bereits 60 Tage früher als bei den Geparden. Die Jungen wachsen dann während sieben Monaten im Beutel der Mutter auf.

Nachwuchs auf dem Bauernhof

Lies und berechne die Tragzeiten dieser Haustiere.

Wie lange dauert die Tragzeit einer Kuh, wenn sie 239 Tage länger ist als die der Maus?

4 • Die Katze trägt ihre Jungen 85 Tage weniger lang als das Schaf.
2 • Die Tragzeit der Stute ist 35 Tage kürzer als die Tragezeit der Eselin.
5 • Die Zicklein bleiben 80 Tage länger im Bauch der Mutter als die Kätzchen.
7 • Welpen werden 32 Tage länger ausgetragen als die kleinen Kaninchen.
1 • Die Tragzeit eines Esels beträgt genau ein Jahr ohne Schalttag.
3 • Das Schaf bekommt seine Lämmer nach einer 180 Tage kürzeren Tragzeit als die Stute.
6 • Die kleinen Kaninchen kommen 114 Tage früher auf die Welt als die Zicklein.
8 • Auch Mäuse bekommen Nachwuchs und dies bereits nach einer Tragzeit, die 42 Tage kürzer ist als die der Hündin.

Nachwuchs auf dem Bauernhof

Lösungen

Lies und berechne die Tragzeiten dieser Haustiere.

Wie lange dauert die Tragzeit einer Kuh, wenn sie 239 Tage länger ist als die der Maus? **260 Tage**

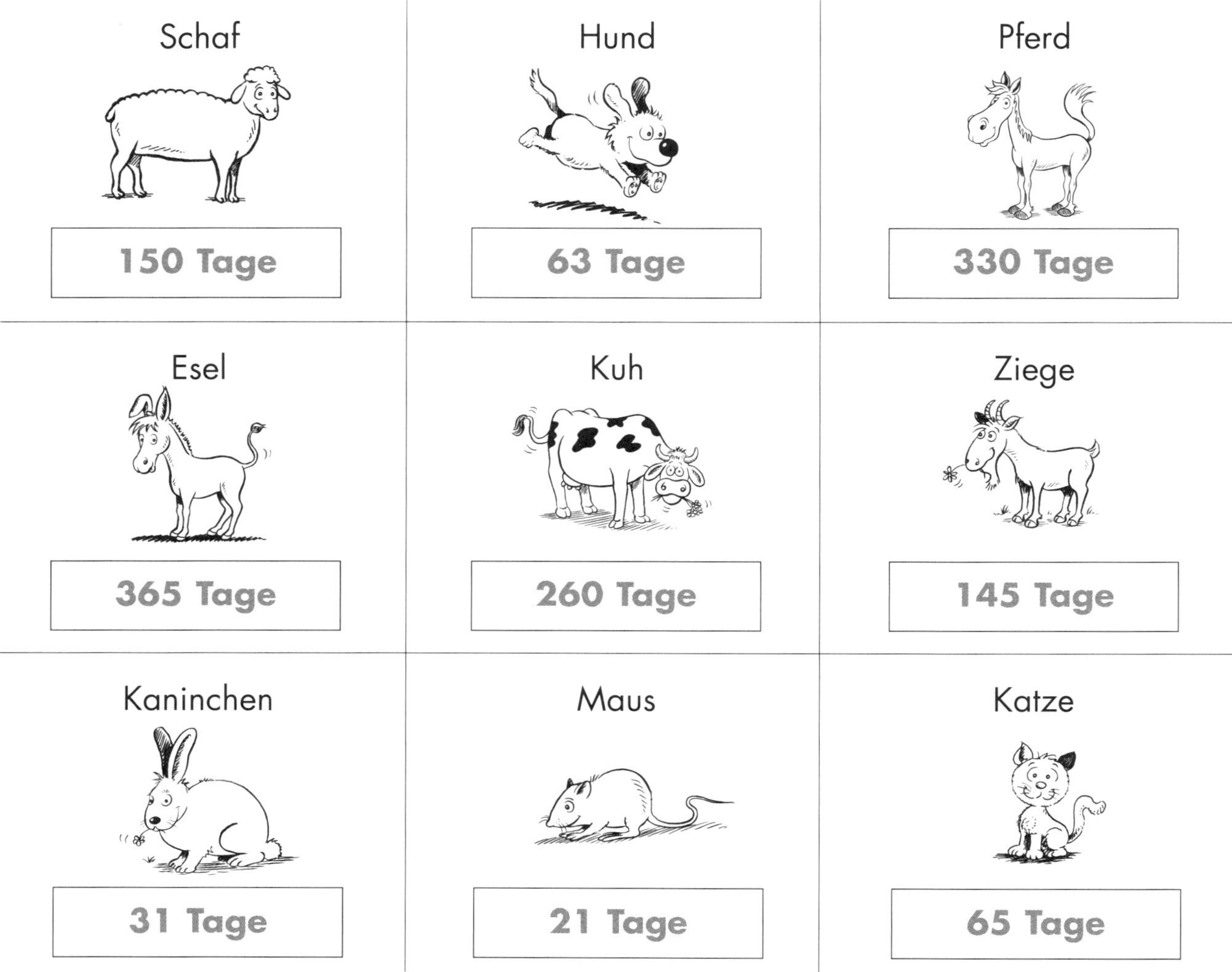

4 • Die Katze trägt ihre Jungen 85 Tage weniger lang als das Schaf.
2 • Die Tragzeit der Stute ist 35 Tage kürzer als die Tragezeit der Eselin.
5 • Die Zicklein bleiben 80 Tage länger im Bauch der Mutter als die Kätzchen.
7 • Welpen werden 32 Tage länger ausgetragen als die kleinen Kaninchen.
1 • Die Tragzeit eines Esels beträgt genau ein Jahr ohne Schalttag.
3 • Das Schaf bekommt seine Lämmer nach einer 180 Tage kürzeren Tragzeit als die Stute.
6 • Die kleinen Kaninchen kommen 114 Tage früher auf die Welt als die Zicklein.
8 • Auch Mäuse bekommen Nachwuchs und dies bereits nach einer Tragzeit, die 42 Tage kürzer ist als die der Hündin.